THE EASY WAY
to Master
the Indonesian Language

The Easy Way
to Master
the Indonesian Language

by

A.M. Almatsier

PENERBIT DJAMBATAN

ISBN 979 428 161 1

Illustrator: Nana Ruslana

Printed by Anem Kosong Anem

CONTENTS

VIII

PREFACE

The ever increasing number of expatriates in Indonesia makes it imperative to find a method that will enable them to learn the "*Bahasa Indonesia*" in an easy way.

I am pleased to introduce this book to you, which although a modest effort, hopefully will fulfill all your requirements. Since most of the foreigners remain in the country for a relatively short period, I confine myself to the basic essentials of the language, here and there using colloquial expressions.

I regret, however, that I still have to make use of the translation approach. The instructor is advised to extend the lesson with sentence drills.

In conclusion, I would like to express my thanks to my wife, Tgk. S. Nazifah, for her valuable assistance in looking through the manuscript and making the necessary corrections.

I shall welcome any comments the reader wishes to make.

Terima kasih and Selamat Belajar!

Jakarta, April 1991.   *A.M. Almatsier*

SOUNDS AND SPELLING

Unlike most of the Oriental languages, the Indonesian language is written in Roman script, which is of course of great advantage. A new step has been taken to simplify the spelling. As from August 17, 1972, a new spelling regulation has been introduced, emphasizing that each sound be presented by one syllable.

VOWELS	DIPHTONGS	CONSONANTS		
a	ai	c		
i	au	d		
e		g		
o		h		
u		j		
		k	kh	
		l		
		m		
		n	ng	ngg
			ny	
		p		
		r		
		s	sy	
		t		
		v		
		w		
		y		
		z		

VOWELS

(a) In open syllables this vowel sounds more or less like 'a' in 'army', 'grass', 'bar'.

> mana — which, where
> buka — to open
> batik — batik
> takut — afraid
> karena — because

In closed syllables it sounds like the English 'u' in 'shut'.

> dekat — near
> letak — position
> gelas — glass
> rusak — broken

(i) is pronounced as 'ea' in 'easy' or 'ee' in 'feet'.

> bisa — can
> hari — day
> di — in, at

In closed syllables the sound is shorter, like 'i' in 'fish'.

> habis — finished
> air — water
> bukit — hill

(e) when unstressed is pronounced as the mute 'e' in 'timber', 'open'.

> gelas — glass
> sebentar — a while
> teman — friend

When stressed it sounds somewhere between the 'e' in 'bed' and 'a' in 'bad'.

In the words *kereta* (carriage, wagon) and *merdeka* (independent), the first 'e' is unstressed, while the second one is pronounced 'e'.

In this case no rules can be given. The only way to master

the pronunciation is to listen to people speaking and to radio and TV broadcasts.

(o) is pronounced like the 'o' in 'long' and 'a' in 'talk'.

> tolong — to help
> roti — bread
> potong — to cut

(u) is pronounced like the 'oo' in 'fool'.

> tunggu — to wait
> belum — not yet
> surat — letter

DIPHTONGS

(ai) This diphtong does not appear in close syllables and sounds like the 'y' in 'supply'.

> pakai — to wear, to use
> ramai — crowded

In closed syllables, however, it is pronounced as two separate sounds 'a-i'.

> lain — other
> baik — good
> main — play

(au) has the same sound as 'ow' in 'cow'.

> pulau — island
> pisau — knife

In the words *mau* (to want) and *haus* (thirsty) it is pronounced as two syllables, since it is no diphtong.

CONSONANTS

The Indonesian consonants are in general pronounced as English consonants.

(c) is in all circumstances pronounced as the 'ch' in 'chicken'

3

however, without aspiration.

> cuci — to wash
> kaca — glass
> bocor — leak
> cuka — vinegar

(g) is always pronounced as 'g' in 'cigar'.

> gelas — glass
> pergi — to go
> guru — teacher
> segar — fresh

(j) corresponds to the 'j' in 'jack'.

> jam — clock
> Jawa — Java
> baju — dress

(k) initial and medial 'k' sounds like the English 'k', but without aspiration.

> kami — we
> kunci — key
> pukul — to hit

Final 'k' is hardly audible, like a glottal stop.

> tidak — no
> banyak — much, many
> baik — good

(kh) occurs in loanwords, mostly from Arabic origin. It sounds like the 'ch' in 'Loch Lomond'.

> khusus — special
> akhir — end

(ng) this sound is represented by two symbols. It may occur at the beginning, middle or end of a syllable and sounds like the 'ng' in 'banging'.

> tingkat — level
> datang — to come

4

menangis — to cry
dengar — to hear

(ngg) sounds like the 'ng' in 'finger'.

tinggal — to stay, to live
tunggu — to wait
menggambar — to draw
mengganggu — to disturb

(ny) is also represented by two symbols. It occurs very frequently and sounds like the 'ni' in 'Spàniard'.

namanya — his name
bertanya — to ask
menyanyi — to sing
Nyonya — lady, Mrs.

(r) is audible and rolled.

roda — wheel
baru — new
pintar — smart

(s) is always sharp, like the 's' in 'kiss'.

susu — milk
kasi — to give
sopir — driver

(sy) occurs in loanword of Arabic origin and sounds like the 'sh' in 'push', 'shrimp'.

Syarif — (a man's name)
masyarakat — community
syarat — condition

(v) occurs in words of Western origin.

investasi — investment
revolusi — revolution
visa — visa

(y) is pronounced like 'y' in 'yard'.

> saya — I
> sayur — vegetable
> layar — sail

(z) is found in loanwords of Arabic origin, however, often changed into (j) sound.

> zaman = jaman — era, period
> izin = ijin — permit
> ijazah — certificate, diploma

STRESS

Bahasa Indonesia should be spoken rhythmically and with a little or *no* stress. In words of two or more syllables, the *penultimate* syllable is somewhat stressed. The stress in sentences depends to a great extent on the context.

> sa'ya
> teta'pi
> kema'rin
> perusaha'an

The (weak) 'e' in open syllables is never emphasized.

> kema'rin
> kecil'
> tempat'

International loanwords are stressed according to the Dutch or French usage.

> presiden'
> parlemen'
> demokrasi'
> poli'si
> ekono'mis

6

WATCH THESE SIGNS

Awas!	— Cautious!
Awas anjing!	— Beware of the dog!
Awas copet!	— Beware of pickpockets!
Bayar di kas	— Pay at the cashier's
Banyak kecelakaan di sini	— Many accidents here
Bebas parkir	— Free parking
Berbahaya!	— Danger!
Biro perjalanan	— Travel agency
Dilarang berjalan di atas rumput	— Keep off the grass
Dilarang membuang sampah di sini	— No garbage here
Dilarang masuk	— No entrance
Dilarang meludah	— No spitting
Dilarang merokok	— No smoking
Dilarang parkir di sini	— No parking
Hati-hati	— Cautious
Jalur lambat	— Slow lane
Jalur cepat	— Fast lane
Jembatan	— Bridge
Kecuali hari Minggu/Libur	— Except for Sundays and Holidays
Kecuali kendaraan beroda tiga	— Except for threewheelers
Khusus bis	— Special for buses
Ke kanan	— To the right
Ke kiri	— To the left
Kereta api	— Train
Kurangi kecepatan sekarang	— Reduce your speed
Keluar	— Exit
Masuk	— Entrance

Licin waktu hujan	– Slippery when wet
Pelabuhan udara (Bandara)	– Airport
Penerangan	– Information
Perhatian	– Attention
Pelan-pelan	– Slow down
Telepon umum	– Public telephone
Tertutup untuk kendaraan	– Closed for vehicles
Untuk umum	– For the public

LESSON I

GREETINGS (CORDIALITIES)

A. EVERY GOOD WISH STARTS WITH THE WORD 'SELAMAT'

Good morning	— Selamat pagi
Good day	— Selamat siang (between 11 a.m. — 2 p.m.)
Good afternoon	— Selamat sore
Good evening (night)	— Selamat malam
Good night (sleep well)	— Selamat tidur

Besides, we have also:

Selamat datang	— Welcome
Selamat makan	— Have a good appetite
Selamat bekerja	— Enjoy your work
Selamat ulang tahun	— Happy birthday
Selamat jalan	— Goodbye (to the one who is leaving)

| Selamat tinggal | — Goodbye (to the one who is staying) |

or just 'Selamat' — Congratulations

How are you?	— Apa kabar? (Lit. What is the news?)
Fine, thank you	— Baik, terima kasih.
See you again	— Sampai bertemu (jumpa) lagi.
See you tomorrow	— Sampai besok
Farewell	— Selamat jalan.

There is no direct translation of How do you do? or It was nice meeting you.

B. PHRASES ONE USES TO THANK, ETC.

Thank you	— Terima kasih.
Thank you very much	— Terima kasih banyak.
You're welcome ⎫	
Not at all ⎬	— Kembali or Sama-sama.
That will do	— Cukup

C. RESPONSES:

Excuse me	— Maaf.
I'm sorry	— Maaf.
It's OK. Never mind ⎫	
It doesn't matter ⎬	— Tidak apa-apa.
I beg your pardon.	— Apa?
I see	— Oh, begitu.
Or course	— Tentu saja.
Wonderful! ⎫	
Excellent! ⎬	— Bagus
Excuse me (when leaving)	— Permisi
May I bother you?	— Boleh saya mengganggu?
What's the matter?	— Ada apa?

D. PHRASES ONE USES AS A HOST:

Come in, please	— Silakan masuk.
Take a seat, please	— Silakan duduk.
Please, help yourself	— Silakan (makan).
	— Silakan (minum)
Have some more	— Silakan tambah lagi.

The word 'silakan' is used when offering something: a seat, a drink, a cigarette, etc.

When asking a favour, like in "Would you shut the door, please?" the word 'please' is translated by "tolong", which actually means 'help'. Tolong tutup pintu.

LESSON II

NUMBERS, DAYS, MONTHS, etc., etc.

NUMBERS

0	– nol	11 –	sebelas
1	– satu	12 –	dua belas
2	– dua	13 –	tiga belas
3	– tiga	14 –	empat belas
4	– empat	15 –	lima belas
5	– lima	16 –	enam belas
6	– enam	17 –	tujuh belas
7	– tujuh	18 –	delapan belas
8	– delapan	19 –	sembilan belas
9	– sembilan	20 –	dua puluh
10	– sepuluh		

21 – dua puluh satu	100	– seratus
22 – dua puluh dua	200	– dua ratus
23 – dua puluh tiga	700	– tujuh ratus
24 – dua puluh empat	655	– enam ratus lima puluh
25 – dua puluh lima		lima
30 – tiga puluh	1000	– seribu
33 – tiga puluh tiga	3000	– tiga ribu
	10.000	– sepuluh ribu
40 – empat puluh	100.000	– seratus ribu
	25.750	– dua puluh lima ribu
		tujuh ratus lima
		puluh
80 – delapan puluh	1000.000	– satu juta (sejuta)
93 – sembilan puluh		
tiga	3000.000	– tiga juta

FRACTIONS

½ – setengah   half a glass – setengah gelas
half an hour – setengah jam

1/3	—	sepertiga
1/4	—	seperempat
2/3	—	dua pertiga
3/4	—	tiga perempat

NUMBER QUALIFIERS

In counting people (children, guests, drivers, etc.) we use the qualifier *orang*.

Example:

5 children	—	lima *orang* anak
2 guests	—	dua *orang* tamu

In counting animals we use the qualifier *ekor*, which literally means *tail*.

Example:

three dogs	—	tiga *ekor* anjing
ten fishes	—	sepuluh *ekor* ikan

13

Buah is usually used for counting in animate things, like chairs, schools, tables, etc.

Examples:

two chairs	— dua *buah* kursi
one house	— satu *buah* rumah

DAYS OF THE WEEK

Senin	— Monday
Selasa	— Tuesday
Rabu	— Wednesday
Kamis	— Thursday
Jumat	— Friday
Sabtu	— Saturday
Minggu	— Sunday

THE TWELVE MONTHS

Januari	Juli
Februari	Agustus
Maret	September
April	Oktober
Mei	November
Juni	Desember

hour	— jam
day	— hari
week	— minggu
month	— bulan
year	— tahun

now	— sekarang
tomorrow	— besok (esok)
yesterday	— kemarin
the day before yesterday	— kemarin dulu
the day after tomorrow	— (besok) lusa

14

LESSON III

TUAN CLARK

Tuan Clark dan keluarganya datang dari Amerika Serikat.
Mereka datang ke Indonesia naik pesawat udara.

Di lapangan udara Tuan Clark
memanggil taksi. Ia tahu bahasa
Indonesia sedikit. Ia berbicara
dengan sopir, "Saya mau pergi
ke Hotel Hilton. Saya akan
bekerja di Kalimantan. Kami
tidak suka tinggal di kota besar
seperti Jakarta. Banyak sekali
orang di Jakarta."

Nyonya Clark suka makanan
Indonesia. Dia juga makan nasi.
Anaknya suka minum air es.

15

B. TRANSLATION

MR CLARK

Mr Clark and his family came from the United States. They came to Indonesia by plane.

At the airport Mr Clark called a taxi. He knows Indonesian a little. He talked to the driver, "I want to go to the Hilton Hotel. I'll work in Kalimantan. We don't like living in a big city like Jakarta. There are very many people in Jakarta."

Mrs Clark likes Indonesian food. She also eats rice. Her child likes drinking ice water.

C. GRAMMAR AND IDIOMS

Personal pronouns

Personal pronouns	1st Person	2nd Person	3rd Person
Singular	saya aku	Saudara, Bapak, Ibu, Tuan, Nyonya, Nona, kamu, engkau, kau, Anda	ia dia
Plural	kami kita	Saudara-saudara, kamu sekalian, kalian	mereka

First person I
  saya   (most common)
  aku   (familiar form used towards friends, juniors, and in intimate circles)
  kami, kita we
  kami is used when the person spoken to is excluded.
  kita is used when the person spoken to is included (everybody is involved).

Second person   (modes of address) you

  Saudara   — (formal) to equals.

  Bapak (Pak) to a high ranking person (male), to the superior, to the teacher or to an old man.

Ibu (Bu)   — to a high ranking lady, to the lady teacher, to an elder woman.

Tuan   — to a foreigner (male).

Nyonya   — to a foreigner (female) and married.

Nona   — to an unmarried lady

kamu, engkau, kau — to a junior, servant, driver and child we use the word *kamu, engkau* or *kau*. It is also used among intimate friends and between husband and wife.

However, a new word has become popular the last few years. The word *Anda* is replacing the various words indicating the second person, as an equivalent of the English word "you". We recommend you to use this simple word. So you don't have to bother about which of the listed words to use.

You (plural) — Saudara-saudara, Bapak-bapak, Tuan-tuan, etc.; *kamu sekalian; kalian.*

Third person   he or she.
ia or *dia*   There is *no* gender in the Indonesian language.
mereka   — *they*

Verbs   The verb or predicate never changes in form, i.e. there is *no past tense* and *no plural form*. The verb is *not conjugated.*

Examples:

Saya *pergi* ke pasar.   —   I go (went) to the market.

Dia *datang* dari Tokyo —   He (She) *comes* (*came*) from Tokyo

17

Mereka *makan* nasi   —   They *eat (ate)* rice

The past tense is usually indicated by the context.

D. VOCABULARY

ke	—	to (indicating direction)
di	—	in, at (position)
dari	—	from
pesawat udara	—	aeroplane
sopir	—	driver
kota	—	town, city
besar	—	big, large
seperti	—	like, such as
sedikit	—	a little (few)
banyak	—	much, many, a lot
makanan	—	food
juga	—	also
nasi	—	rice
air	—	water
es	—	ice
pasar	—	market
ibu	—	mother
tinggal	—	to live, to stay
keluarga	—	family
keluarganya	—	his family, her family
datang	—	to come
pergi	—	to go
tahu	—	to know
makan	—	to eat
minum	—	to drink
memanggil (panggil)	—	to call
berbicara (bicara)	—	to talk, to speak
bekerja (kerja)	—	to work
suka	—	to like
teh	—	tea

18

kopi	–	coffee
susu	–	milk
toko	–	shop
roti	–	bread
adik	–	younger (little) brother or sister
mobil	–	car
jalan	–	road, street, way

E. EXERCISES

a. Translate:

1. We live in Kebayoran
2. They went to the hotel.
3. He calls the driver.
4. I am eating bread and mother is drinking ice water.
5. She came from the market.
6. He and his family live in the city.
7. I know he comes from London.
8. Many people go by plane to Bangkok.
9. They like a big city.
10. I drink tea.
11. She works in a hotel.
12. Many people like Indonesian food.
13. We went to the shop.

b. Translate:

1. Dia tinggal di kota besar.
2. Mereka datang dari kantor.
3. Saya mau pergi ke toko.
4. Ibu makan nasi dan adik minum susu.
5. Nyonya Wilson naik mobil ke Surabaya.
6. Keluarga saya suka makan roti.
7. Dia minum kopi dengan susu.
8. Saya memanggil sopir.
9. Kami berbicara dengan Tuan Peters.
10. Dia tahu jalan ke pasar.

19

A. READING

RUMAH SAYA

Saya tinggal di daerah Kuningan. Rumah saya besar dan bagus. Kami punya mobil. Mobil itu ada di garasi.

Sopir kami, Siman, mencuci mobil itu tiap sore. Jam lima ia pulang dan esoknya kembali jam enam. Pembantu kami memasak di dapur. Ia mengerti sedikit bahasa Inggris.

Suami saya bekerja di Priok. Kantornya jauh dari rumah kami. Ia berangkat ke kantor jam tujuh pagi. Jam empat sore ia pulang.

Sekarang kami belajar bahasa Indonesia. Tiap hari Selasa dan Kamis guru datang ke rumah kami. Saya mulai mengerti sedikit bahasa itu.

B. TRANSLATION

MY HOUSE

I live in the Kuningan area. My house is big and nice. We have a car. The car is in the garage.

Our driver, Siman, washes the car every afternoon. At five o'clock he goes home and the next day he comes back at six o'clock. Our servant cooks in the kitchen. She understands a little English.

My husband works in Priok. His office is far from our house.

He goes to the office at seven o'clock in the morning. At four o'clock in the afternoon he comes home.

Now we are learning the Indonesian language. Every Tuesday and Thursday the teacher comes to our house. I begin to understand a little of the language.

Possessives

Like all adjectives or other qualifiying words the possessive is placed after the noun (main word).

my house	— *rumah* saya, *rumah*ku (*aku* becomes *ku* and linked to the noun).
your office	— *kantor*mu (*kamu* becomes *mu* and linked to the noun);
	kantor Bapak (Saudara, Tuan, kalian, etc. or just *kantor* anda).
our car	— *mobil* kami or *mobil* kita.
his (her) family	— *keluarga*nya (*dia* or *ia* becomes *nya* and linked to the noun)
their shop	— *toko* mereka

The verb 'to be':

Itu	sekolah
Ini	rumah saya.
Dia	guru kami.
Sarpin	sopir Tuan Williams.
Kamar itu	kotor.
Kopi ini	panas.
Adik Anton	sakit.
Kue ini	manis.

The verb 'to be' (copula) is not used in the following sentences:

My house is big.	—	Rumah saya besar.
This is a school.	—	Ini sekolah.
That is a kitchen	—	Itu dapur.
He is a teacher.	—	Dia guru.
Mother is sick	—	Ibu sakit.

22

Adjectives:

The adjective or qualifying word comes after the noun (see 1).

a *big* house	—	rumah *besar*
a *beautiful* garden	—	kebun *bagus*
a *sick* man	—	orang *sakit*
an *empty* bottle	—	botol *kosong*
hot rice	—	nasi *panas*
my *new* car	—	mobil *baru* saya
our *big* office	—	kantor *besar* kita.(kami)

Note:

Words indicating a number like:

banyak	—	much, many, a lot
semua	—	all
sedikit	—	a little, a few
seluruh	—	the whole

are exceptions. They *precede* the nouns.

Examples:

much money	—	*banyak* uang
many houses	—	*banyak* rumah
lots of people	—	*banyak* orang
a little sugar	—	*sedikit* gula
a few cars	—	*sedikit* mobil
all pupils	—	*semua* murid
the *whole* town	—	*seluruh* kota

D. VOCABULARY

suami	— husband	pembantu	—	servant
istri	— wife	sakit	—	sick
botol	— bottle	kosong	—	empty
sekolah	— school	kotor	—	dirty
murid	— pupil	bersih	—	clean

23

kebun	— garden	bagus	— nice, beautiful
pohon	— tree	panas	— hot
mobil	— car	dingin	— cold
kamar	— room	baru	— new
garasi	— garage	jauh	— far
orang	— man, person	dekat	— near
daerah	— area, district	makanan	— food
dan	— and	memasak	— to cook
		(masak)	
sekarang	— now	esok, besok	— tomorrow
belajar	— to learn,	mulai	— to begin
	to have les-	mencuci	— to wash
	son	(cuci)	
tiap	— every	pulang	— to go home,
kunci	— key		to come home
mengerti	— to understand	kembali	— to return

E. EXERCISES

1. *Translate:*

a. hot tea   this is a big house
cold food   that is a small town
the dirty water   this empty house
a clean house   his office
an empty room   a sick man
my husband   many streets
his wife   a little cold water
a beautiful garden   all servants
Mr Sutopo's house   his new car
the car key   near the police-station
their family   our hotel

b. to New York   from my house
to my house   from school
to the store   from his office
to our hotel   from his wife

in our house   from the aeroplane
in his office   in our car
in a new house   in my new room

2. *Translate:*

1. Our teacher lives far from the school.
2. All rooms are clean.
3. I want to drink clean water.
4. This big house is empty.
5. The sick man is drinking hot milk.
6. The road near our house is clean.
7. Our car is in the garage.
8. The driver is washing the car.
9. Many people drink cold drinks.
10. I like hot rice.
11. The servant came from the shop.
12. Mr Smith lives in a hotel far from the office.
13. He understands Indonesian a little.
14. We talked to her husband.

3. *Translate:*

1. Semua orang sakit tidur di kamar.
2. Rumah kami dekat kantor Nyonya Tirta.
3. Saya tidak bisa belajar hari ini.
4. Dia bekerja di rumah Tati.
5. Kami juga suka pergi ke kota.
6. Tiap hari ibunya pergi ke rumahnya.
7. Sopir kami tidak datang.
8. Istri Tuan Ward kembali dari Singapura.
9. Kami tahu jalan ke hotel.
10. Sopir datang tiap pagi ke rumah kami.
11. Dia pulang sore.
12. Besok dia bekerja.
13. Mereka naik pesawat udara ke Tokyo.

25

A. READING

NYONYA WILSON DI TELEPON

+ Halo! Nomor 667352?
- Ya, betul.
+ Anda bisa datang ke rumah saya? AC di rumah saya mati. Saya tidak tahu apa yang rusak.
- Di mana Nyonya tinggal? Alamat Anda?
+ Di Jalan Bangka III nomor 7. Nomor telepon saya 776531.
- Siapa nama Nyonya?
+ Wilson. Nyonya Wilson.
- Baik, Nyonya. Saya datang jam 10. Nyonya tunggu saja di rumah.
+ Baik, terima kasih.

26

B. TRANSLATION

MRS WILSON IS ON THE PHONE

+ Hello! Number 667352?
− Yes, that's right.
+ Can you come to my house? The air-conditioner in my house is out (Lit.: "dead"). I don't know what is broken.
− Where do you live? Your address, please?
+ In Jalan Bangka III number 7. My phone number is 776531.
− What's your name, please?
+ Wilson. Mrs Wilson.
− Allright, Madam. I'll come at 10 o'clock. You just wait at home.
+ OK. Thank you.

C. GRAMMAR AND IDIOMS

Question words and prepositions:

di mana	−	(at, in) where?
ke mana?	−	where (to)?
dari mana?	−	from where?
di sini	−	(in, at) here
ke sini	−	(to) here
di sana, di situ	−	there
ke sana, ke situ	−	(to) there
dari sini	−	from here
dari sana, dari situ	−	from there

Di mana, ke mana and *dari mana* are question words.
Di, ke and *dari* are prepositions.

Examples:

− Di mana Tuan tinggal? or Tuan tinggal di mana?
− Di Jalan Surabaya. Di New York.
− Di mana sepatu saya? Di kamar.

27

- Di mana Saudara bekerja? Di kantor pos.
- Ke mana Tuan Wilson pergi? Ke Bangkok.
- Ibu pergi ke mana? Ke rumah Tuti.
- Nyonya datang dari mana? Dari Pasar Baru.
- Dari mana Susi datang? Dari Padang.

Auxiliary verbs:

The auxiliary verbs: can, may, will, must, want to.

can — *bisa* or *dapat*

Arto can come tomorrow	— Arto bisa (dapat) datang besok
Can I go there by taxi?	— Saya bisa (dapat) naik taksi ke sana (ke situ)?
I cannot cook today.	— Saya tidak bisa memasak hari ini.

may (allowed to) — *boleh*

You may come to my office tomorrow	— Anda boleh datang ke kantor saya besok.
You may not come in when I am not at home	— Anda tidak boleh masuk kalau saya tidak ada di rumah.

will, shall — *akan*

The Johnson's family will return to America	— Keluarga Johnson akan kembali ke Amerika.
The maid will cook rice for us.	— Pembantu akan memasak nasi untuk kita.

must — *mesti* or *harus*

You must come back tomorrow morning at 7 o'clock.	— Anda mesti kembali besok pagi jam 7.
I have to go home now.	— Aku harus pulang sekarang.

28

want to — *mau*

Mr Takahashi wants to stay in Jakarta.	— Tuan Takahashi mau tinggal di Jakarta.
Little brother wants to drink hot tea.	— Adik mau minum teh panas.
We do not want to drink beer.	— Kami tidak mau minum bir.

Note the difference:

What is your name = *Siapa* nama Anda?

instead of: *Apa* nama Anda? (The answer is a *person*. See lesson VIII).

D. VOCABULARY

nomor	—	number
betul	—	right, correct
mati	—	dead, out (does not work)
rusak	—	out of order, broken
alamat	—	address
nama	—	name
kantor polisi	—	police station
tunggu (menunggu)	—	to wait
teman	—	friend
sepatu	—	shoes
anak-anak	—	children
karena	—	because
kompor	—	stove, oven
pintu	—	door

E. EXERCISES

1. *Translate:*

   1. Where can I wash my car?
   2. He is right.

3. What is his friend's name?
4. My phone number is 889720.
5. The police car is broken.
6. All my shoes are new.
7. Where is a shoeshop here?
8. Wait for me over there.
9. The maid must shut the door.
10. Tomorrow my friend will come from Japan.
11. Children may not come in.
12. Where will he stay?
13. He can stay in our house.
14. They must come here today.
15. Where does father want to go to?
16. From there to here is Rp 500,—

2. *Translate:*

1. Banyak orang menunggu di rumah Ati.
2. Telepon di kantor saya rusak.
3. Minggu ini sopir kami tidak bisa bekerja; ia sakit.
4. Dia tidak mau pergi ke dokter.
5. Ibu tidak bisa memasak, karena (= because) kompor kami rusak.
6. Nyonya Salmi datang dari mana?
7. Kami tidak bisa pergi ke situ.
8. Dari sana ke sini kami naik taksi.
9. Anda mesti mencuci semua kursi dan meja.
10. Besok mereka kembali ke kota.
11. Saya tidak tahu nama orang itu.
12. Sepatu saya kotor.
13. Ke mana ayah dan ibu pergi hari ini?
14. Kami memanggil dokter.

LESSON VI

A. READING

RUMAH KAMI DI KEBAYORAN

Rumah kami di Kebayoran punya dua tingkat. Di atas ada dua kamar tidur besar dan satu kamar mandi. Di bawah ada satu kamar dengan kamar mandi dan WC untuk tamu. Dapur juga ada di bawah. Di belakang dapur ada kamar untuk pembantu. Dua orang pembantu, Siti dan Marni, tidur di situ. Seorang penjaga malam datang jam 5 sore dan pulang jam 6 pagi.

Di depan dan di belakang ada kebun besar dengan bunga-bunga yang bagus. Di samping rumah ada dua buah pohon mangga.

Kerja Siti mencuci piring, sendok, pisau, garpu, cangkir, gelas dan lain-lain. Ia menyimpan alat-alat dapur di dalam lemari. Ia juga memasak. Marni membersihkan meja, kursi dan kamar. Pagi hari ia membawa sampah ke luar.

B. TRANSLATION

OUR HOUSE IN KEBAYORAN

Our house in Kebayoran has two floors. Upstairs are two large bedrooms and one bathroom. Downstairs is one room with a bathroom and a toilet for guests. The kitchen is also downstairs. Behind the kitchen is a room for the servants. Two servants, Siti and Marni, sleep there. A nightwatchman comes at 5 in the afternoon and goes home at 6 in the morning.

In front and behind is a large garden with beautiful flowers. Beside the house are two manggo trees.

Siti's work is to wash the dishes, spoons, knives, forks, cups, glasses and others. She keeps kitchen utensils in the cupboard. She also cooks. Marni cleans the tables, chairs and rooms. In the morning she takes out the garbage.

C. GRAMMAR AND IDIOMS

Ada – 'there is/are'

The word *ada* is to be translated into 'there is' or 'there are'.

Examples:

Ada banyak bunga di kebun kami	— There are many flowers in our garden.;
Di sekolah *ada* banyak meja dan kursi	— In the school there are many tables and chairs.
Tidak ada air di kamar mandi.	— There is no water in the bathroom.

32

Ada — 'to be'

The word *ada* takes the place of the verb 'to be' indicating place (location).

Ada (indicating place)		
Ibu		di kamar.
Sepeda saya		di muka rumah.
Tuan Wilson		di New York sekarang.
Ayah Aminah	ada	di rumah sakit.
Saya		di dalam kamar mandi.
Mobil baru itu		di garasi.
Mereka		di hotel.

Examples:

Di mana ayah? Dia *ada* di rumah dengan anak-anak. = Where is father? He is at home with the children.

Pak Karna *ada* di Jepang sekarang. = Pak Karna is in Japan now.

Mr Jansen *tidak ada* di kantor hari ini. = Mr Jansen is not in the office today.

Tidak ada orang di kamar. = There is nobody in the room.

Prepositions:

Next to the main prepositions *ke, di* and *dari* we have also the following:

dalam	—	in, inside
luar	—	out, outside
atas	—	on, on top, above, over
bawah	—	under, beneath, below

33

muka, depan	–	in front
belakang	–	behind
antara	–	between, among
samping (sebelah)	–	beside, next to
di dalam kamar	–	in (inside) the room
ke dalam kamar	–	into the room
dari dalam kamar	–	from inside (out of the room)
di luar kota	–	outside the city
ke luar kota	–	to the outside of the city
Consequently we have :		ke atas, di atas, dari atas, di muka, ke depan, dari bela-kang, dari bawah, ke bawah, etc.

Th negative:

To denote the negative we have the words *bukan* and *tidak*. There is, however, difference in use:

Bukan – Negative for 'nouns' ('pronouns')		
Ini		kamar Tuan Wong.
Itu		kantor pos.
Dia	*bukan*	sopir kantor.
Ayah Mendi		dia.
Ini		mobil kita.

a. *Bukan* is to denote the negative of 'nouns' ('pro-nouns').

Ini *bukan* gereja.	–	This is not a church.
Dia *bukan* ayah saja.	–	He is not my father.
Saya *bukan* polisi.	–	I am not a policeman.

34

b. Tidak is the negation of 'verbs' and 'adjectives'.

Tidak — negative for 'verbs' and 'adjectives'		
Saya		makan nasi.
John		suka tinggal di hotel.
Surat kabar		datang hari ini.
Kami	*tidak*	pergi ke pasar.
Kamar saya		besar.
Sepatu saya		kotor.
Rumah ini		mahal.
Air ini		dingin.

Kami *tidak* tinggal di hotel.	— We don't stay in a hotel.
Ibu saya *tidak* suka nasi goreng.	— My mother does not like fried rice.
Kamar tidur saya *tidak* besar.	— My bedroom is not big.
Sopir itu *tidak* sakit.	— The driver is not sick.

Sometimes *tidak* is shortened to *tak*.

c. Jangan indicates 'prohibition' (negative imperative).

It is equal to the English: *Don't*.

Jangan — Don't	
Jangan	masuk ke kebun saya!
	pergi ke kantor polisi!
	minum air dingin!
	duduk di luar!
	tinggal di kamar!

Jangan duduk di luar!   —   Don't sit outside!

35

Jangan buka jendela ini!	–	Don't open this window!
Jangan cuci celana saya!	–	Don't wash my pants!
Jangan tunggu saya!	–	Don't wait for me!

D. VOCABULARY

punya	–	to have, to possess
tingkat	–	level, storey, floor
tamu	–	guest, visitor
W.C.	–	watercloset, toilet
pembantu	–	servant
penjaga	–	watchman, guard
gereja	–	church
kebun	–	garden
celana	–	trousers
sepatu	–	shoes
bunga	–	flower
pisang	–	banana
sayur	–	vegetables
tukang kebun	–	gardener
tukang sayur	–	vegetable man
tukang listrik	–	electrician
jendela	–	window
surat	–	letter
surat kabar	–	newspaper
pintu	–	door
tempat tidur	–	bed
sendok	–	spoon
garpu	–	fork
pisau	–	knife
piring	–	plate, dish
cangkir	–	cup
gelas	–	glass
dan lain-lain	–	and others, etc.

lemari	—	cupboard
(mem)bersihkan	—	to clean
(mem)bawa	—	to take, to bring, to carry

E. EXERCISES

1. Fill up the blanks: *tidak, bukan, jangan*

1. Penjaga . . . datang hari ini.
2. Saya . . . suka mandi dengan air dingin.
3. . . . pergi ke pasar sore ini!
4. Tuan Pick . . . bisa bekerja, karena (because) ia sakit.
5. Sardi . . . sopir Tuan Darman, tetapi tukang kebunnya.
6. Ini . . . rumah Nyonya Tan, tetapi tokonya.
7. . . . duduk di muka jendela!
8. Itu . . . lemari es, tetapi lemari buku.
9. Tini . . . masak hari ini, ia mau makan di restoran.
10. Di muka rumah Nyonya Pati . . . ada bunga.
11. Di belakang kantor polisi itu . . . sekolah, tetapi gereja.
12. Kamu . . . boleh masuk kamar ini.
13. . . . ada air panas di dalam botol.
14. Ini . . . restoran, tetapi hotel.
15. Saya . . . mau pulang.

2. *Translate:*

1. There is a plate on the table.
2. Behind Mrs Otis' house are many beautiful flowers.
3. Whose shoes are under my bed?
4. In front of the store is a big papaya-tree.
5. There is nobody at home.
6. This week we do not go out of town.
7. The dog is sleeping behind the garage.
8. Don't stay in the car!
9. All the books are in the cupboard.
10. We don't like living outside the city.

11. We have a new servant and a new driver.
12. Who wants to clean the window?
13. Upstairs we have two large bedrooms and one bath-room with a toilet.
14. The policeman lives behind the office and sleeps in the front room.
15. Don't come into my room!
16. You are sick, don't sit outside!
17. There is no cold water in the kitchen.

LESSON VII

A. READING

KE SUPERMARKET

"Nyonya, mentega habis, gula habis, susu habis. Nyonya akan pergi ke supermarket pagi ini?" tanya Sinah, pembantu Nyonya Spencer.

Nyonya Spencer memanggil Sardi, sopirnya. Mereka naik mobil ke supermarket di Jalan Barito. Sinah juga ikut. Di supermarket Nyonya Spencer membeli mentega, susu, gula, garam dan daging untuk dua minggu. Ia tidak lupa membeli kertas, pensil dan buku untuk anak-anak. Ia membayar di kas.

"Sinah, taruh semua barang di dalam mobil. Kasih kunci mobil ini kepada Sardi. Bilang kepada Sardi untuk menunggu saya di luar. Saya akan pergi ke kantor pos untuk membeli perangko," kata Nyonya Spencer.

B. TRANSLATION

TO THE SUPERMARKET

"Madam, there is no more butter, no sugar and no milk. Will you go to the supermarket this morning?" asked Sinah, Mrs. Spencer's maid.

Mrs Spencer called Sardi, her driver. They went by car to the supermarket in Jalan Barito. Sinah went too. At the supermarket Mrs Spencer bought butter, milk, sugar, salt and meat for two weeks. She did not forget to buy paper, pencils and books for her children. She paid at the cashier's.

"Sinah, put all the things in the car. Give this car key to Sardi. Tell Sardi to wait for me outside. I'll go to the post-office to buy stamps," Mrs Spencer said.

C. GRAMMAR AND IDIOMS

1. *naik*

naik mobil	— to go by (to take) car
naik sepeda	— to go on a bicycle
naik taksi	— to go by taxi
naik kereta api	— to go by train
naik pesawat udara	— to go by plane

You can also say *pergi dengan mobil,* etc.

2. *juga*

Saya *juga* suka nasi go-reng.	— I also like fried rice.
Dia *juga* tinggal di Bogor.	— She also lives in Bogor.

3. *ikut* — to join, to go with, to follow

Boleh saya ikut?	— May I go with you?
	May I join you?
Sinah ikut nyonya ke pasar.	— Sinah went with the lady to the market.

40

4. *habis* – finished, used up, no more, gone

    Uang saya habis.   – My money is gone.

    Nasi (bensin) habis.   – There is no more rice (petrol).

    Air panas habis; waktu habis; etc.

5. *kasi* – to give (colloquial)

    Tono, *kasi* uang itu   – Tono, give the money to Ardi.
    kepada Ardi.

    Kasi kopi ini kepada   – Give this coffee to mother!
    ibu!

Note:

kasi is usually followed by the preposition *kepada* ('to').

6. *bilang* – to tell, to say (colloquial)

    Apa saudara bilang?   – What do you say?

    Bilang kepada orang   – Tell to the man to wait here.
    itu tunggu di sini.

    Bilang kepada pemban-   – Tell to the maid to open the
    tu, buka pintu.   door.

Note:

bilang is often followed by *kepada*.

D. VOCABULARY

mentega	– butter
keju	– cheese
gula	– sugar
garam	– salt
susu	– milk
daging	– meat
waktu	– time
kereta api	– train
daging sapi	– cow's meat, beef
daging babi	– pig's meat, pork

41

ayam	– chicken
barang	– thing, item, goods
kertas	– paper
perangko	– postage stamp
buku	– book
lupa	– to forget
(mem)beli	– to buy
(mem)bayar	– to pay
sebentar	– a moment, a while
taruh	– to put

E. EXERCISES

a. Translate:

1. We buy sugar and butter in a small shop near our house
2. Tell that man that I'm going to the market.
3. He does not understand what I'm saying.
4. I gave the milk to the child.
5. He also takes a taxi to the office.
6. May I give this money to the servant?
7. Put the paper under the table.
8. All the meat in the refrigerator is gone.
9. We are sitting outside and talk to Salim.
10. Tomorrow Mr Yoshi is going to Semarang by train.
11. He paid the man and returned to the hotel.
12. He knows (that) I live near a big shop.
13. Put all the books in the bag.
14. He is eating rice and drinks a glass of beer.

b. Translate:

1. Di mana saya bisa membayar?
2. Kami tidur di atas dan makan di bawah.
3. Kasi tas itu kepada Tuan Muso.

42

4. Tunggu sebentar di luar dan jangan pergi.
5. Hari ini kami harus datang ke kantor polisi.
6. Molly tidak boleh ikut ke pasar.
7. Saya tidak bisa membeli perangko.
8. Taruh sedikit garam di atas daging ini.
9. Orang Islam tidak boleh makan daging babi.
10. Buku dan pensil itu tidak untuk kami, tetapi untuk teman saya.
11. Di muka kantor saya ada banyak bunga yang bagus.
12. Hari ini kami tidak bisa belajar, karena guru kami tidak datang.
13. Jam 10 mobil kita mesti kembali ke Bandung.

A. READING

PEMERIKSAAN KTP

Polisi : Siapa nama Saudara?

Sarno : Nama saya Sarno, Pak.

P : Apa kerja Saudara?

S : Tukang kayu.

P : Saudara punya KTP?

S : Ini KTP saya, Pak.

P : Baik. Berapa umur Saudara?

S : Tiga puluh lima tahun, Pak.

P : Saudara mau pulang?

S : Ya, Pak, tetapi saya tidak bisa segera pulang. Saya menunggu bis dari jam 5 sore, tetapi tidak ada bis. Rumah saya jauh, kira-kira dua belas kilometer dari sini. Kapan saya boleh pergi, Pak?

P	:	Saudara boleh pergi sekarang. Bagaimana Saudara pulang?
S	:	Naik bis.
P	:	Kenapa Saudara tidak menunggu di sini saja?
S	:	Tidak usah, Pak. Terima kasih.
S	:	Oh, itu ada bis ke Priok. Selamat tinggal, Pak.

B. TRANSLATION

IDENTITY CARD INSPECTION

Police-man	:	What's your name?
Sarno	:	My name's Sarno, Sir.
P	:	What's your job?
S	:	Carpenter.
P	:	Do you have an identity card?
S	:	This is my identity card, Sir.
P	:	Allright. How old are you?
S	:	Thirty-five, Sir.
P	:	Are you going home?
S	:	Yes, Sir, but I cannot go home soon. I've been waiting for the bus since 5 o'clock in the afternoon, but there was no bus. My house is far, about twelve kilometers from here. When am I allowed to go, Sir?
P	:	You may go now. How do you get home?
S	:	By bus.
P	:	Why don't you just wait here?
S	:	Not necessary, Sir. Thank you.
S	:	Oh, there is a bus to Priok. Goodbye, Sir.

45

C. GRAMMAR AND IDIOMS

Question words:

a. apa — what — asking about 'things' and 'animals'

Apa ini? or Ini apa?	— What is this?
Apa itu? or Itu apa?	— What is that?
Apa?	— What? I beg your pardon?

b. siapa — who — asking about 'persons'

Siapa ini?	— Who is this?
Siapa itu?	— Who is that?
Siapa orang itu?	— Who is that man?
Siapa tidur di sini?	— Who is sleeping here?

siapa can be used as a possessive:

Mobil siapa itu?	— Whose car is that?
Rumah siapa ini?	— Whose house is this?

Note:

In English the question is: *What* is your name?
In Indonesian the question will be: *Siapa* nama Tuan?
because the answer indicates a *person*.

c. berapa. = how much, how many — asking about 'numbers'.

Berapa ini?	— How much is this?
Berapa orang?	— How many people?
Berapa harganya?	— What (How much) is the price?

Note:

In English the question is: *What* is your age?
How old are you?

In Indonesian: *Berapa* umur Saudara?

What is your house number? — Nomor *berapa* rumah Saudara?

46

What is your phone number? — *What* number is your
phone? = Nomor *berapa* telepon Saudara?

What is the time? What time — Jam (pukul) berapa se-
is it?   sekarang?

Note the difference:

Berapa jam means 'how many hours'. Since *berapa* asks
about numbers, it is quite logic if 'how far' and 'how
long' are translated into *berapa jauh* and *berapa lama*.

Examples:

Berapa jauh Banda Aceh dari Medan?	— How far is Banda Aceh from Medan?
Berapa lama Anda tinggal di Bali?	— How long did you stay in Bali?

d. kenapa   } Why
   mengapa

Kenapa Anda tidak tidur?	— Why don't you sleep?
Mengapa Surti pulang ter-lambat?	— Why does Surti come home late?

e. *bagaimana* = how — asking about *'the state of things*

Bagaimana pembantu baru Nyonya?	— How is your new maid?
Bagaimana rumah anda?	— What's your house like?
Bagaimana rasa durian?	— How does durian taste?

It is also very common, when meeting someone, to ask:
Bagaimana? which means: "How are things?" or "How is
it?"

f. *kapan* = when

Kapan Tuan Onoda kem-bali ke Jepang?	— When does Mr Onoda re-turn to Japan?

Kapan Anda kembali dari London? — When did you come back from London?

Saya tidak tahu kapan ia akan pergi ke Manila. — I don't know when he will go to Manila

g. *yang mana* — which

Yang mana Anda suka? — Which one do you like?

Yang mana rumah Tuan Ali? — Which is Mr Ali's house?

The interrogative

You might have noticed that there is no difference in word order in the affirmative and in the interrogative. A question is usually expressed by 'raise of voice' or 'voice inflection'.

Note:

Tuan sudah lama tinggal di Samarinda? — Have you lived in Samarinda for a long time?

Nyonya suka durian? — Do you like durian?

Sometimes the word *apa* introduces a question, if there is no other question word, like: when, why, where, etc.

Apa Saudara naik taksi? — Do you take a taxi?

Apa AC Nyonya rusak? — Is your airconditioner out of order?

The suffix *-kah* is often attached to the most stressed word in a question:

Ini*kah* rumah Anda? — Is this your house?

Apa*kah* ibu sudah pulang? — Is mother already home?

It is common in Indonesian to put the question word either *at the beginning* or at *the end of* a sentence.

48

Examples:

Ini apa? next to, *Apa ini?*
Nama Anda siapa? Siapa nama Anda?
Saudara dari mana? Dari mana Saudara?
Kamar Anda yang mana? Yang mana kamar Anda?
Mobil Anda bagaimana? Bagaimana mobil Anda?

D. VOCABULARY

kerja	— work, job
tukang	— workman
tukang kayu	— (lit. woodworker) carpenter
tukang susu	— milkman
masih	— still
kira-kira	— approximately, about
KTP	— short for 'Kartu Tanda Pendu-duk', identity-card.
umur	— age
perlu	— to need
tidak perlu	— need not
tidur	— sleep
harga	— price
rasa	— taste
arti	— meaning
kata	— word
anak laki-laki	— boy, son
anak perempuan	— girl, daughter
segera	— soon, immediately
terlambat	— late

E. EXERCISES

a. Translate:

1. Where does your father work in the city?
2. What does this word mean?

49

3. How is your mother now?
4. How much do these shoes cost?
5. Why is the light out?
6. What is your house number?
7. How old is your son?
8. Who is sitting outside?
9. Who cooks rice in the kitchen?
10. Which glass did you buy for your mother yesterday?
11. How long have you been in Medan?
12. How far is the hotel from our office?
13. Why is Tina not here?
14. Is this the way to Gunung Agung?
15. When did you learn the Indonesian language?
16. Do you drink milk every morning?

b. *Translate:*

1. Apa anjing kita ada di luar?
2. Mengapa tukang sayur tidak datang hari ini?
3. Bagaimana pintu kamar tidur Anda, masih rusak?
4. Anda tidak perlu datang besok.
5. Saya lihat, ibu masih tidur.
6. Berapa harga piring itu?
7. Apa arti kata itu dalam bahasa Indonesia?
8. Siapa nama pembantu itu?
9. Kami perlu pisau dan garpu.
10. Apa kerja anak itu?
11. Jam 9 Tuan Miller masih ada di kantor.
12. Kapan bis itu sampai (to arrive) di terminal?
13. Di mana Anda makan siang?

LESSON IX

A. READING

PERGI BERENANG

Anak-anak sudah pulang dari sekolah. Ayah juga sudah pulang, tetapi ibu masih di pasar. Dia belum kembali.

Sore itu mereka akan pergi ke Cisarua. Mereka sudah lama tidak berenang. Cisarua kira-kira 70 km dari Kebayoran. Tempatnya sejuk, tingginya 800 meter.

"Horee, itu Ibu sudah datang!"

Mereka taruh tas-tas dan kopor-kopor di dalam mobil. Mereka tak lupa membawa makanan, roti, kue-kue dan lain-lain. Mereka juga membawa termos untuk air panas. Mereka akan lewat jalan baru, Jalan Jagorawi. Jalan ini jauh lebih pendek dan jauh lebih bagus. Jam 4 sore mereka berangkat. Mereka akan tinggal di Cisarua dua malam. Hari Senin pagi mereka harus kembali ke Jakarta.

B. TRANSLATION

GOING FOR A SWIM

The children had come home from school. Father was already home, but mother was still in the market. She had not come back yet. That afternoon they would go to Cisarua. They had not swum for a long time. Cisarua is about 70 km from Kebayoran. The place is 800 meter high.

"Horay, there's mother coming!"

They put the bags and suitcases in the car. They did not forget to take food, bread, cookies and other things with them. They also took a thermos with hot water. They would take the new road, Jagorawi. This road is much shorter and much better. At 4 o'clock they left. They would stay at Cisarua for two nights. On Monday morning they had to go back to Jakarta.

C. GRAMMAR AND IDIOMS

TENSES. As we have seen, the Indonesian verb has *no* form to indicate the past. In other words, the language does not have conjugation. The past tense is indicated by the use of words representing the past:

kemarin	— yesterday
dahulu (dulu)	— formerly, before, previously
tadi	— a few moments ago
tadi pagi	— this morning (past)
tadi malam	— last night
minggu, bulan, tahun yang lalu	— last week, last month, last year

In general the past is explained by the context.
However, to express that an action has been completed, the word *sudah* ('already') is used.

Examples:

Ayah *sudah* kembali — Father has come back from
dari Eropa.   Europe (already)

Kami *sudah* makan. — We have (already) eaten.

The word *belum* ('not yet') is considered the counterpart
of *sudah.*

Examples:

Ibu *belum* pulang dari — Mother has not come back
pasar.   from the market yet.

Tuan Marsis sudah be- — Has Mr Marcis left (already)?
rangkat?

Belum.   — Not yet.

punya (see Lesson VIII)

Whose is this?   — Siapa *punya* ini?

This car is mine.   — Mobil ini saya *punya.*

That book is yours.   — Buku itu Anda (kamu, Tuan,
                         etc) *punya.*

The red flower is hers. — Bunga merah itu dia *punya.*

The suitcase is his. — Kopor itu dia *punya.*

The garden is ours.   — Kebun itu kita (kami) *punya.*

The trees are theirs. — Pohon-pohon itu mereka *pu-*
                         nya.

D. VOCABULARY

berenang	— to swim
kolam renang	— swimming pool
tempat	— place
sejuk	— cool
panas	— hot (temperature)
pedas	— hot, spicy (taste)

dingin	—	cold
tas	—	bag
kopor	—	suitcase
kue	—	cookie, cake, biscuit
kiri	—	left
kanan	—	right
betul	—	right, correct
lain	—	other
lewat	—	to pass
(me)lihat	—	to see, to look
(mem)baca	—	to read
(men)(t)ulis	—	to write
lupa	—	to forget

E. EXERCISES

1. *Translate:*

1. We have seen the new road in Sumatra.
2. Father has read the news in yesterday's newspaper.
3. Marni has cooked rice and now she must sleep.
4. Sardi has not yet come to my office.
5. I have not yet seen the new swimming-pool.
6. John has given the key to the new servant.
7. I have not had my breakfast yet and I cannot wait.
8. Mother has written a letter to the teacher.
9. She has not yet bought chairs for the bedroom.
10. This food is too hot for me, give me some cold water, please.
11. Why has Dolly not come home yet?
12. There is a new swimming-pool behind the hotel.
13. I have put two empty bottles in the refrigerator.
14. Where is a nice place for swimming?
15. He has not yet paid for the suitcase.

54

2. *Translate:*

1. Keluarga Satoh belum lama tinggal di Indonesia.
2. Mereka sudah pergi ke Bali dan ke beberapa (= some) tempat di Sulawesi.
3. Kalau kamu sudah makan, pergi ke toko membeli gula dan garam.
4. Betul, tuan Marga tinggal di rumah nomor 23.
5. Tukang itu belum bisa bekerja, karena tidak ada lampu.
6. Ada orang lain berbicara dengan ibu di luar.
7. Kami suka tinggal di tempat yang dingin.
8. Anak-anak semua sudah makan pagi, tetapi mereka belum berangkat ke sekolah.
9. Di Jakarta panas, tetapi di Puncak sejuk.
10. Saudara sudah lupa, tetapi saya masih tahu.
11. Taruh semua kopor di bawah tempat tidur dan tas saya di belakang pintu.

A. READING

HUJAN

Kemarin hujan besar sekali. Dari jam 3 sampai jam 6 hujan tidak berhenti. Biasanya bulan Maret tidak ada hujan lagi. Musim hujan ialah bulan Oktober sampai bulan Februari.

Jam 2 langit sudah mulai gelap. Semua orang mau cepat sampai di rumah. Jam 3 hujan besar turun. Untunglah saya sudah ada di rumah. Semua sepatu dan buku-buku saya taruh di atas meja. Air di jalan makin banyak. Saya takut, kalau air itu masuk rumah. "Lihat, Darta datang!" Ia naik sepeda motor. Pakaiannya basah. Sepatunya juga basah. Kami takut banjir akan datang, karena selokan di muka rumah sudah penuh. Atap rumah kami banyak yang bocor.

Kira-kira jam 6 hujan berhenti. Air di jalan mulai turun. Tetapi di dapur kami lihat banyak air, karena atapnya bocor.

B. TRANSLATION

RAIN

Yesterday there was a very heavy rain. From 3 to 6 it did not stop. Usually it does not rain any more in March. The rainy season is from October until February.

At 2 o'clock the sky got dark. Everybody wanted to be home quickly. At 3 o'clock a heavy rain fell. Fortunately I was home already. I put all my shoes and my books on the table. The water in the streets increased. I was afraid the water would come into the house. "Look, Darta is coming!" He was on a motor-bicycle. His clothes were wet. His shoes were also wet. We were worried a flood was coming, because the drain in front of the house was full. There are many leaks in our roof.

At about 6 o'clock the rain stopped. The water in the street went down. But in the kitchen we saw a lot of water, because the roof was leaking.

C. GRAMMAR AND IDIOMS

a. Telling the time:

6.00	—	jam enam
12.00	—	jam dua belas
11.30	—	jam setengah dua belas
4.30	—	jam setengah *lima*
12.30	—	jam setengah *satu*

Note the difference:

exactly — tepat (persis)

9.00	—	jam 9 *tepat (persis)*
7.05	—	jam tujuh *lewat* lima
10.10	—	jam sepuluh *lewat* sepuluh
6.15	—	jam enam *lewat seperempat*
12.15	—	jam dua belas *lewat seperempat*
7.50	—	jam delapan *kurang* sepuluh

3.54	–	jam empat *kurang* enam
4.45	–	jam lima *kurang seperempat*

Instead of *jam enam* or *jam sebelas* we also say *pukul enam* or *pukul sebelas*.

Mind the difference:

jam 3	–	3 o'clock
3 jam	–	3 hours
jam 10	–	10 o'clock
10 jam	–	10 hours
½ jam	–	half an hour
¼ jam (seperempat jam)	–	a quarter of an hour

b. *sampai* has two meanings:

1. as the preposition *until* and *as far as*.
   Dari jam 3 *sampai* jam 6   – from 3 *until (to)* 6

naik bis dari Semarang — by bus from Semarang
sampai Solo *as far as* Solo.

2. as a verb meaning *to arrive*

Kapal terbang *sampai* — The plane arrived in Si-
di Singapura jam 3 sore ngapore at 3 o'clock in
the afternoon.

c. *sekali*

To express intensity like *very* and *quite* we use the word
sekali after the adjective:

very big — besar *sekali*
very much — banyak *sekali*
very hot — panas *sekali*
very expensive — mahal *sekali*

d. *terlalu*

too in the sense of *too* small, *too* long, etc, is translated
by: *terlalu:*

too much — *terlalu* banyak
too cold — *terlalu* dingin
too expensive — *terlalu* mahal

The English word *long* has two meanings:

a. to indicate *time* to be translated by *lama.*

I waited long. — Saya menunggu *lama.*
We have been — Kami di sini sudah *lama.*
here for a long
time.
I won't be long — Saya tidak *lama.*

b. to indicate *measurement* it is represented by the word
panjang.

This street is long — Jalan ini *panjang.*
He wrote a long — Ia menulis surat *panjang.*
letter.

D. VOCABULARY

hujan	–	rain
berhenti	–	to stop
biasa	–	usual, ordinary, normal
biasanya	–	usually
musim	–	season
langit	–	sky
bulan	–	month, moon
gelap	–	dark
terang	–	bright, clear
cepat	–	quick, fast
turun	–	to go down
naik	–	to go up
dalam	–	deep
warna	–	colour
putih	–	white
hitam	–	black
merah	–	red
pria	–	man
wanita	–	woman
biru	–	blue
hijau	–	green
kuning	–	yellow
coklat	–	brown
takut	–	afraid
untunglah	–	fortunately
makin	–	getting more and more
basah	–	wet
kering	–	dry
banjir	–	flood
selokan	–	drain
penuh	–	full
bocor	–	leak, leaking
atap	–	roof

mulai   —   to start, to begin

penumpang   —   passenger.

E. EXERCISES

1. *Translate:*

1. Usually we go to the city at 7.30.
2. The plane arrived at 9, but his car has not yet come.
3. The rain stopped, when (waktu) we were home.
4. He put the white paper in his bag.
5. I won't buy these shoes; (they are) too big for me.
6. My friend's house is very far; I cannot go by taxi there.
7. I see red, yellow and green flowers in the garden in front of the church.
8. There are too many people in the street.
9. Do you like brown or (atau) black shoes?
10. Tati is afraid to enter the dark garage.
11. Write your name in (dengan) blue pencil.
12. We will stay near the hotel and swim a while.
13. In the hot season many people go to cool places outside the city.
14. When you see Ali, tell him to wait for me.
15. Don't wait too long.

2. *Translate:*

1. Ibu menulis surat yang panjang sekali kepada kami.
2. Cepat kembali ke kantor dan minta kunci kamar kepada Pak Ibnu.
3. Kami mulai pukul 11 tepat.
4. Mobil biru itu berhenti di depan sekolah kami.
5. Jangan takut, kolam itu tidak dalam (deep).
6. Di dalam toko itu ada banyak pakaian untuk pria dan wanita dengan macam-macam (various) warna.

7. Taruh botol kosong itu di dapur.
8. Bilang kepada pembantu, kami tidak makan siang di rumah.
9. Jam setengah sebelas sebuah bis berangkat dari Pulogadung ke Semarang.
10. Pukul 7.15 semua penumpang (passengers) telah ada di terminal.
11. Tuan Jones suka makan ayam goreng di restoran dekat hotel Merdeka.
12. Di sana kita bisa membeli televisi berwarna.
13. Di musim hujan kami tidak pergi berenang.
14. Lihat, atap garasi bocor.

LESSON XI

A. READING

SURAT DARI KARDI

Kami baru menerima surat dari Kardi, seorang teman yang bekerja di Kalimantan. Dia bekerja di sebuah perusahaan kayu. Perusahaan itu juga punya pabrik yang besar. Kardi sudah enam bulan tidak pulang ke Medan. Dalam surat itu ia menulis, bahwa ia di sana mesti bekerja keras. Dia tinggal di rumah kecil. Mungkin bulan yang akan datang ia pindah ke rumah yang lebih besar dekat pabrik. Beberapa minggu yang lalu ia sakit, tetapi tidak lama. Tempat ia bekerja ada di tengah hutan. Di sana ada juga orang asing. Dua kali sebulan datang sebuah pesawat udara membawa makanan dan semua keperluan pekerja. Juga ada toko yang menjual barang-barang. Sekali seminggu ia pergi dengan teman-temannya melihat film di bioskop.

B. TRANSLATION

A LETTER FROM KARDI

We have just received a letter from Kardi, a friend who works in Kalimantan. He works in a timber company. The company also has a big factory. Kardi has not been back to Medan for six months. In the letter he wrote that he had to work hard there. He lives in a small house. Perhaps next month he will move to a bigger house near the factory. A few weeks ago he was sick, but not for long. The place where he works is in the middle of a jungle. There are also foreigners there. Twice a month a plane comes bringing foodstuff and all necessities for the workers. There is also a store selling things. Once a week he goes with his friends to watch films at the movies.

C. GRAMMAR AND IDIOMS

yang

The word "yang" is frequently used to qualify a noun.

Examples:

> pabrik *yang* besar
> rumah *yang* kecil
> mobil *yang* bagus
> kertas *yang* merah

next to:

> pabrik besar
> rumah kecil
> mobil bagus
> kertas merah

There is, however, some slight difference. In the first examples the word "yang" expresses emphasis. Literally it means:

> the factory that is big
> the house which is small

the car which is nice
the paper that is red

to distinguish from other factories, other houses, other cars and other paper.

The word "yang" defines the nouns. In other word it is the equivalent of the English relative pronouns, *that, which, who.*

Not these sentences:

Kardi, seorang teman   —   Kardi, a friend *who*
yang bekerja di Kali-   works in Kalimantan.
mantan.

Lampu yang saya beli   —   The lamp *that* I bought
kemarin di toko.   yesterday in the shop.

Pabrik yang ada di te-   —   The factory *that* is in
ngah hutan.   the middle of the forest.

Question-word *"Which?"*	—	*"Yang mana?"*
Yang mana kamar Anda?	—	Which is your room?
Yang itu.	—	That one.
Yang mana Nyonya suka?	—	Which one do you like?
Yang besar.	—	The big one.

Special expressions:

minggu, bulan, tahun   —   last week, month, year
yang lalu (lewat).

beberapa hari *yang lalu*   —   a few days ago
(lewat)

minggu, bulan, tahun   —   next week, month, year
yang akan datang

Colloquially it is common to say: *minggu, bulan, tahun de-pan* (lit. the week, month, year in front).

65

D. VOCABULARY

menerima (terima)	– to receive
barangkali	– perhaps
perusahaan	– company
kayu	– wood, timber
hutan	– forest, jungle
pabrik	– factory
..., bahwa	– ..., that
keras	– hard
mungkin	– possible, possibly
bioskop	– cinema, movie
pekerja	– worker
bertanya	– to ask (questions)
pindah	– to move (to another place)
beberapa	– some, several
tengah	– middle, centre
orang asing	– foreigner, stranger
menjual	– to sell
keperluan	– needs, necessities
tamu	– guest, visitor

E. EXERCISES

1. *Translate:*
    1. We have a son who likes swimming.
    2. Which book did you buy at the bookstore?
    3. Who has a knife?
    4. Mr Jackson's son has a new motor-cycle.
    5. Last month father left for Hongkong.
    6. The family that just arrived from Sydney needs a large house near the main (big) road.
    7. On the left of the hotel is a large garden with beautiful flowers.

8. They have returned from Tana Toraja, where they stayed (for) 3 weeks.
9. Next week a guest will come to our house.
10. Yesterday I talked to a foreigner in the Borobudur Hotel, who spoke Indonesian very well.
11. Possibly he will come back to Indonesia next year.
12. I don't like that brown one.
13. Whose dog is this?
14. My friend will move to Menteng.
15. Maybe the man who lives here works in a factory.

2. *Translate:*
    1. Di restoran itu kami makan kue-kue dan minum Fanta.
    2. Jangan beli makanan di toko yang kotor itu.
    3. Kemarin seorang tamu datang naik mobil biru.
    4. Lampu mana yang rusak?
    5. Kasi saya air dingin, bukan air panas.
    6. Tadi malam kami melihat di TV Presiden dengan istrinya ada di Kuala Lumpur.
    7. Teman saya mulai belajar bahasa Indonesia dua bulan yang lalu.
    8. Piring yang saya beli kemarin di Hero terlalu mahal.
    9. Kami berhenti di Garut untuk berenang.
    10. Saya membaca di surat kabar, bahwa banyak orang yang pindah dari Jawa ke Sumatra.
    11. Saya tidak bisa menunggu terlalu lama, karena hari panas sekali.
    12. Ambillah tas yang besar dan taruh semua surat-surat ini di dalamnya.
    13. Tuan Yoko sudah lima tahun bekerja di perusahaan asing.
    14. Semua pakaian saya masih basah.

A. READING

PESTA

Waktu saya pulang dari kantor, saya melihat banyak makanan dan kue-kue di atas meja. Saya heran. Kemudian saya ingat, bahwa hari itu hari ulang tahun istri saya.

Karena banyak sekali kerja di kantor dan saya tiap hari sibuk, saya lupa memberi selamat dia tadi pagi.

Jam 7, kami semua berkumpul di keliling meja makan. Anak-anak menyanyi: "Panjang umurnya, panjang umurnya . . . .". Semua kami mencium ibu. Ibu gembira sekali. Di tengah meja ada sebuah kue besar dan bunga-bunga.

Kira-kira jam 8 datang beberapa teman dan kenalan. Mereka semua memakai baju batik.

Kami makan bersama. Ada nasi goreng, ada sate, ada gado-gado dan makanan lain-lain. Semua senang makan masakan

ibu. Kami juga tidak lupa memasang kaset dengan musik dan lagu-lagu gembira. Sekarang kami minta ibu memotong kue.

Kami bercakap-cakap dengan tamu-tamu sampai jam 11. Kemudian sesudah semua tamu pulang, kami pergi tidur. Saya lihat ibu capek sekali, karena ia memasak dari pagi dan kami tidak punya pembantu.

B. TRANSLATION

A PARTY

When I came home from the office, I saw lots of food and cakes on the table. I was surprised. Later I remembered that it was my wife's birthday.

Because there was a lot to do in the office and I am busy every day I forgot to congratulate her this morning.

At 7 o'clock all of us gathered around the table. The children sang: "Long live mother, long live mother . . . ". All of us kissed mother. Mother was very happy. In the middle of the table were a big cake and flowers.

About 8 o'clock some friends and acquaintances came. All of them were wearing batik.

We ate together. There was fried rice, sate and gado-gado and other things. Everybody enjoyed mother's cooking. We also did not forget to put on casettes with jolly music and songs. Then we asked mother to cut the cake.

We chatted with the guests until 11 o'clock. After the guests had gone home, we went to bed. I saw, mother was very tired, because she had been cooking since the morning and we had no servant.

C. GRAMMAR AND IDIOMS

1. *waktu, kalau, kapan* – when

   Waktu – when, referring to the *past* we also use *ketika*, instead of *waktu*.

Waktu ayah bekerja di Kalimantan, ia tiap minggu menulis surat kepada kami.	— *When* father was working in Kalimantan, he wrote letters to us every week.

kalau — when, if, referring to *condition* or *future*.

Kalau kamu pergi ke pasar, jangan lupa membeli sabun.	— *When* you go to the market, don't forget to by soap.

kapan — when, as a question-word.

Kapan Tuan Jackson berangkat ke Manila?	— *When* is Mr Jackson leaving for Manila?
Saya tidak tahu, *kapan* ibu pulang.	— I don't know, *when* mother came home.

2. *sesudah, sebelum* — after, before

Sesudah semua tamu pulang, kami pergi tidur.	— *After* all the guests had gone home, we went to bed.
Sesudah berenang, kami duduk di bawah pohon.	— *After* swimming we sat down under a tree.
Sebelum kembali ke Eropa, ia pergi melihat Borobudur.	— *Before* returning to Europe, he went to see the Borobudur.
Sebelum berangkat ke kantor, ia minum secangkir kopi.	— *Before* leaving for the office he drank a cup of coffee.

D. VOCABULARY

pesta	—	party
heran	—	surprised

70

hari ulang tahun	–	birthday
sibuk	–	busy
sabun	–	soap
mencium	–	to kiss
gembira	–	happy, glad
kenalan	–	acquaintance
memakai (pakai)	–	to wear, to use
memberi selamat	–	to congratulate
berkumpul	–	to gather
(se)keliling	–	around
menyanyi	–	to sing
lagu	–	song
memotong (potong)	–	to cut
capek	–	tired
baju	–	dress
bersama	–	together
senang	–	happy
masakan	–	cooking
memasang (pasang)	–	to turn on (the light), to install

E. EXERCISES

1. *Translate:*

1. When we go to a party, we wear batik.
2. Mother is happy to see all the children.
3. After having a bath, we sit down in front of the house.
4. When shall we get together again and sing songs?
5. Little brother kissed mother before going to bed.
6. Everybody is happy to see old friends.
7. If you take a taxi, you'll arrive at 6.
8. Who will cut the cake on your birthday?
9. When it rains we have a flood at home.
10. I am very tired today, I wont't go to the cinema.
11. Before cutting the bread, she took a knife.

71

12. All of us will go to the party at Ryanto's house.
13. If you see my driver, tell him to go back to the office.
14. After lunch we will go for a swim at Senayan.

2. *Translate:*

1. Sesudah minum teh mereka keluar membaca surat kabar.
2. Sebelum gelap, pasanglah lampu dan tutuplah semua jendela.
3. Kalau ada pesta di kampung semua orang datang.
4. Ketika temanku Asman tinggal di Amerika, dia menulis surat kepada aku.
5. Kapan Saudara menjual rumah itu kepada Tuan Rasyid?
6. Bulan yang akan datang kalau istriku kembali dari Bandung, kami akan pergi ke Danau Toba dan tinggal di sana beberapa hari.
7. Kalau tidak ada air panas, saya tidak akan mandi, kata orang Jepang itu.
8. Dua bulan sesudah Tahun Baru, mereka pindah ke Kebayoran.
9. Di bawah tempat tidur aku melihat sebuah kopor kecil.
10. Orang sakit mesti pergi ke dokter.
11. Tukang pos belum datang, biasanya ia datang jam 11.
12. Pasang lampu di luar, tamu-tamu kita akan datang.
13. Saya belum tahu, siapa akan memotong ayam itu.
14. Kami naik mobil keliling kota.

LESSON XIII

A. READING

DI RESTORAN

- Minta satu botol lagi Coca Cola.
+ Tidak ada lagi, Tuan. Coca Cola sudah habis. Ada Sprite.
- Baik, minta Sprite. Jangan lupa taruh es. Saya haus sekali. Apa makanan yang ada?
+ Ada soto, ada mie goreng, ada sate ayam. Yang mana Tuan suka?
- Kasi soto dengan nasi satu piring. Jam berapa sekarang? Anda sudah mau tutup?
+ Betul, Tuan. Kami sudah mau tutup. Hari sudah jam 11 lewat.

Buru-buru Ardi makan soto. Soto itu panas dan ia lapar. Dia mesti menunggu beberapa menit. Di restoran itu tidak ada orang lagi. Hari sudah jauh malam. Dia harus lekas pulang, karena hari akan hujan. Dia baru pulang dari bioskop dan sebelumnya ia pergi kuliah. Dia cepat membayar dan berlari ke terminal bis.

B. TRANSLATION

AT A RESTAURANT

- One more bottle of Coca Cola, please.
+ There is no more, Sir. Coca Cola is finished. We have Sprite.
- OK, Sprite, please. Don't forget to put in ice. I'm very thirsty. Is there anything to eat?
+ There is soto, fried noodle, chicken sate. Which do you like?
- Give me soto with rice. What is the time? Are you closing?
- Right, Sir. We are closing now. It's already past 11.

Hastily Ardi ate his soto. The soto was hot and he was hungry. He had to wait a few minutes. There were no more people in the restaurant. It was far in the night. He had to hurry home, because it was going to rain. He had just come back from the movie and before he went to the lectures. He quickly paid and ran to the bus terminal.

C. GRAMMAR AND IDIOMS

1. Verbs

   As we have noticed in the lessons, the Indonesian verbs are not conjugated to indicate the past or the plural or the 3rd person. We prefer to call the verb *predicate* rather than verb. We have also learned that the Indonesian language does not use the word *"ada"* in the sense of "to be" in:

The house is new.	—	Rumah ini baru.
My father is a teacher.	—	Ayah saya guru.
Mother is sick.	—	Ibu sakit.

   But, to indicate a location we usually do use the word *ada*.

   Examples:

Mr Sukoto *is* in the office now.	—	Pak Sukoto *ada* di kantor sekarang.
Mother *is* out of town.	—	Ibu *ada* di luar kota.

74

Coca Cola *is* still there. — Coca Cola masih *ada.*

II. We classify the verbs into 3 catagories:

a. Verbs (predicates) *without* any prefix.

pergi	—	to go
datang	—	to come
makan	—	to eat
minum	—	to drink
tinggal	—	to stay, to live
pulang	—	to go (come) home
kembali	—	to return
pindah	—	to move (to another place)
tidur	—	to sleep
duduk	—	to sit
ingat	—	to remember
masuk	—	to enter
keluar	—	to go out
suka	—	to like
bangun	—	to wake up
sampai	—	to arrive
naik	—	to go up
turun	—	to go down
lupa	—	to forget
perlu	—	to need
mandi	—	to have a bath.

b. verbs with the prefix *ber-*. They are in general *intransitive.*
i.e. they have no object.

berbicara	—	to talk, to speak
berenang	—	to swim
bekerja	—	to work
belajar	—	to study, to learn
berangkat	—	to leave
berjalan	—	to walk

75

bermain — to play
bertemu — to meet
berhenti — to stop

Note: the verbs *belajar*, *bermain* are exceptions, i.e.:

a. they are also transitive:

Kami belajar bahasa Inggris. — We learn English.

Mereka bermain tennis. — They play tennis.

b. In some cases the prefix "ber-" is dropped in the daily speech:

It is common to say:

berbicara : Ayah *bicara* dengan temannya.
berjalan : Hadi *jalan* ke sekolah.
bermain : Saya tidak suka *main* bola.

c. in the verb "bekerja" the prefix *ber-* becomes *be-* under the influence of the sound in the next syllable.

d. in the verb "belajar" the prefix becomes *bel-* under the influence of the final *r* in *ajar*.

III. Verbs with the prefix *me*. The prefix "me-" is in most cases nasalized and becomes *mem-, men-, meng-, meny-*, depending on the initial sound of the rootword:

a. if the initial sound is *b*, the prefix is *mem-*:

bayar, membayar — to pay
beli, membeli — to buy
buka, membuka — to open
baca, membaca — to read

if the intial sound is *p*, the prefix is *mem-*, but the *p* is dropped:

potong, memotong — to cut
pasang, memasang — to turn on, to install
pukul, memukul — to hit, to beat

76

pakai, memakai   —   to use, to wear.

b. if the intial sound is *d, c,* or *j,* the prefix is *men-:*

dorong, mendorong   —   to push
dengar, mendengar   —   to hear
cuci, mencuci   —   to wash
curi, mencuri   —   to steal
jual, menjual   —   to sell
jahit, menjahit   —   to sew

rootwords starting with a *t* sound, drop the *t:*

tulis, menulis   —   to write
tolong, menolong   —   to help
tukar, menukar   —   to change

c. the prefix *meng-* is used if the initial sound is a *vowel, g,* or *h:*

ambil, mengambil   —   to take
isi, mengisi   —   to fill
goreng, menggoreng   —   to fry
gambar, menggambar—   to draw a picture
hitung, menghitung   —   to count

if the initial sound is a *k,* the *k* is dropped:

kirim, mengirim   —   to send
kunci, mengunci   —   to lock

d. the prefix *meny-* is used if the initial sound is *s,* but the *s* is dropped:

simpan, menyimpan   —   to put away, to store
sapu, menyapu   —   to sweep
sisir, menyisir   —   to comb.

e. we use the prefix *me-* (without nasalization), if the initial sound is *l, r, m, n, ny:*

lempar, melempar   —   to throw
rokok, merokok   —   to smoke

masak, memasak	—	to cook
nanti, menanti	—	to wait
nyanyi, menyanyi	—	to sing

The prefix *me* — is used in official language, in the coloquial speech however it is often dropped:

official	:	Saya memanggil sopir.
colloquial	:	Saya panggil sopir.
official	:	Ibu membeli daging.
colloquial	:	Ibu beli daging.
official	:	Saudara menolong saya.
colloquial	:	Saudara tolong saya.

In looking up the meaning of a *me* — *verb* in the dictionary, we have to know the rootword, which is the entry. It will take time, of course, before we get used to it.

Note: In the *imperative* and *negative imperative* we *do not* use the *me-* form:

Ambil kertas dari meja!	—	Take some paper from the table!
Panggil Hamid!	—	Call Hamid!
Jangan cuci celana saya!	—	Don't wash my trousers!
Kunci semua pintu dan jendela!	—	Lock all the doors and windows!
Tulis nama Anda di sini!	—	Write down your name here!
Jangan potong roti ini!	—	Don't cut this bread!

lagi — more, again

Minta satu botol *lagi*.	—	One more bottle, please!
Polisi datang *lagi*.	—	The policeman comes again.
Ibu tidur *lagi*.	—	Mother is sleeping again.

Dua hari *lagi*.	—	Two more days, in two day.
Sekali (satu kali) *lagi*.	—	Once more.
Tidak ada *lagi*.	—	No more.
Tina *tidak* ada di sini *lagi*	—	Tina is no longer here.
Dia *tidak* bekerja di sini *lagi*.	—	She does not work here any more.

D. VOCABULARY

lapar	—	hungry
haus	—	thirsty
buru-buru	—	hurriedly
lekas	—	early, quickly
kuliah	—	lecture
menelepon	—	to telephone
bola	—	ball, football
bandar udara	—	airport
rambut	—	hair

E. EXERCISES

1. Choose the right prefix *me-*, *mem-*, *men-*, *meng-*, *meny-*:

tari	—	. . . .	—	to dance
bawa	—	. . . .	—	to take, to bring, to carry
jaga	—	. . . .	—	to take care, to watch, to guard
tukar	—	. . . .	—	to change
gosok	—	. . . .	—	to rub, to brush
pukul	—	. . . .	—	to beat, to hit
pakai	—	. . . .	—	to wear, to use
masak	—	. . . .	—	to cook
telepon	—	. . . .	—	to telephone

lihat	–	– to see
tutup	–	– to close
dengar	–	– to hear
jawab	–	– to answer
pasang	–	– to switch on, to install
curi	–	– to steal

2. *Supply the correct form of the prefix "me"*:

1. Saya tidak tahu, siapa yang (curi) buku-buku saya.
2. Dalam surat itu ia (tulis), bahwa ibunya sakit.
3. Ibu itu (bawa) anaknya ke rumah sakit.
4. Pak Karman (potong) rambut Dardi.
5. Tak ada orang yang bisa (tolong) saya.
6. Jangan lupa (simpan) uang itu di dalam tas.
7. Kemarin, waktu saya mau tidur, saya (lihat) kucing masuk ke kamar.
8. Lihat, anak perempuan itu sudah bisa (jahit) pakaiannya.
9. Adik mau (pasang) TV, tetapi listrik mati.
10. Tukang itu (buat) meja kecil untuk dapur kami.
11. Pak Hasan mau (jual) mobilnya.

3. *Translate:*

1. If you want a taxi, phone number 370011.
2. When I came out of Kartika Plaza, the driver was no longer there.
3. I have to go to the doctor again.
4. Because there are no more guests, they close the restaurant.
5. I do not know, where the post-office is.
6. How far is the airport from our hotel?
7. The bus stopped in front of Wisma Nusantara.
8. Can I talk to Mrs Wira, please?
9. We walked to the station and bought tickets.

10. Don't stay too long in the office!
11. Shut the door and put your shoes here.
12. Because of the rain, I must hurry home.
13. He asked when the train would leave.
14. Don't open the suitcase, please!
15. Mr Ong does not work here any longer; he has left for Hongkong.

LESSON XIV

A. READING

DI TAMAN SURAPATI

Hari bagus. Matahari bersinar. Ada banyak orang di Taman Surapati. Ada ibu-ibu berjalan-jalan dengan anak-anaknya di sekeliling kolam. Anak-anak itu bermain dengan pasir.

Seorang ibu berteriak: "Awas! Jangan jatuh ke dalam kolam. Kolam itu dalam."

Anak-anak itu melihat banyak ikan berenang di dalam air. Air itu tidak kotor. Burung-burung terbang dan mengambil butir-butir roti yang ada di atas bangku. Beberapa ekor anjing menyalak.

Seorang pemuda duduk dengan pacarnya di atas rumput. Ia memegang tangan gadis itu. Mereka mendengarkan musik di radio kecil. Mereka senang dan tertawa. "Mari kita pergi," kata

pemuda itu. Pacarnya menjawab, "Pukul berapa sekarang? Tunggu sebentar. Aku mau membaca cerita pendek ini." Ia mengeluarkan sebuah majalah dari tasnya.

Tidak lama sesudah itu hari mulai gelap. Matahari menghilang di belakang awan.

B. TRANSLATION

AT TAMAN SURAPATI

It was a beautiful day. The sun was shining. There were many people in Taman Surapati. Mothers were walking with their children around the pond. The children were playing with sand.

A mother shouted, "Be careful! Don't fall into the pond. The pond is deep."

The children saw many fish swimming in the water. The water was not dirty. Birds were flying and picked up crumps of bread on the grass. A couple of dogs were barking.

A young man was sitting with his girl-friend on a bench. He held the girl's hand. They were listening to the music on a small radio. They were happy and laughed. "Let's go!" said the young man. His girl-friend answered, "What time is it? Wait a moment! I want to read this short story." She took a magazine out of her handbag.

Not long after, it got dark. The sun disappeared behind the clouds.

C. GRAMMAR AND IDIOMS

1. The suffix *-lah* after the imperative makes the imperative 'softer'. It becomes a request rather than an order or command.

Datang*lah* ke rumah besok!	— Come tomorrow to my house, please!
Masuk*lah*!	— Come in, please!
Berbicara*lah* pelan-pelan!	— Speak slowly, please!
Pakai*lah* sabun ini!	— Please use this soap!
Tolong*lah* kami!	— Help us, please!

This *-lah* is to be compared with the English word "please".

2. *saja* – only

2 hari *saja*.	— 2 days *only*.
Saya minum 1 gelas *saja*	— I drink *only* 1 glass.

Sometimes it is emphasized by the word *'hanya'*.

Kami tinggal di Hongkong *hanya* 1 minggu *saja*.	— We stayed in Hongkong only 1 week.

3. *baru*: preceding a verb means *newly* or *just*.

Tuan Haris *baru* datang dari New York.	— Mr Haris has just come (arrive) from New York.

84

| Ayah *baru* kembali dari kantor. | — Father has just returned from the office. |
| Mereka *baru* kawin. | — They are newly married. |

4. *Plural*

The plural is generally indicated by *duplication* of the noun.

anak-anak	—	children
burung-burung	—	birds
rumah-rumah	—	houses
kue-kue	—	cookies, cakes, biscuits.

However, the noun is *not* duplicated, if the number is limited by a *number* or by *semua* (all), *beberapa* (some), *banyak* (many), *sedikit* (a few).

three chairs	— tiga (buah) kursi.
ten dogs	— sepuluh (ekor) anjing
two drivers	— dua (orang) sopir
all houses	— semua rumah
some (several) rooms	— beberapa kamar
many people	— banyak orang
a few letters	— sedikit surat

D. VOCABULARY

taman	— park, garden
matahari	— sun
bulan	— moon
bintang	— star
bersinar	— to shine
berjalan-jalan	— to take a walk
burung	— bird
terbang	— to fly
pemuda	— young man
pacar	— girl (boy) friend
keliling	— around

85

pasir	—	sand
berteriak	—	to call, to shout, to scream
awas	—	be careful
dalam	—	deep
butir	—	crumb
langit	—	sky
bangku	—	bench
rumput	—	grass
menyalak	—	to bark
mesin	—	machine, engine
mesin tulis	—	typewriter
mesin cuci	—	washing-machine
mesin jahit	—	sewing-machine
kawin	—	to marry
mengeluarkan	—	to take out
beberapa	—	some, several
memegang (pegang)	—	to hold in one's hand
gadis	—	young lady (girl)
senang	—	happy
tertawa	—	to laugh
pendek	—	short
majalah	—	magazine
menjawab	—	to answer
cerita	—	story
menghilang	—	disappear

E. EXERCISES

1. *Translate:*

1. When I get home, I'll call you.
2. We sat in the garden and looked at the sun.
3. Before you leave, close all the doors and windows and lock all the cupboards.
4. Wash all the dishes and cups.
5. I saw stars in the sky.

6. I cannot use the typewriter, because it is out of order.
7. There is no electricity today, we cannot use the washing-machine.
8. I had only one bed and two small chairs.
9. Some girls were reading stories, when we came into the class.
10. No, thank you, I have just had my lunch.
11. Gunung Agung also sells magazines in (dalam) English.
12. Help me, I cannot swim in this deep pool.
13. Many people don't like fried chicken.

2. *Translate:*

1. Duduklah di sini dan tunggulah sampai saya kembali dari pasar.
2. Saya membaca sebuah cerita pendek dalam majalah yang saya beli minggu yang lalu.
3. Tiga ekor burung terbang dari pohon itu ke atas atap.
4. Beberapa teman akan datang ke rumah kami malam ini.
5. Kami berjalan-jalan ke luar kota dan melihat matahari naik.
6. Saya bertanya, tetapi anak itu tidak menjawab.
7. Tuan Dahlan memakai sepatu hitam, ketika pergi ke pesta.
8. Kami tidak mau berenang di kolam yang dalam.
9. Kalau panas, kami memasang AC di kamar tidur.
10. Tuti baru pulang dari Surabaya; dia tinggal di sana satu malam saja.
11. Tiap orang yang memakai telepon harus membayar Rp 100,—.
12. Pabrik ini membuat piring-piring dan gelas-gelas.
13. Ia tertawa mendengar cerita adik saya.
14. Sebuah mobil merah menunggu tamu-tamu di muka hotel itu.
15. Siapa yang akan memegang kopor besar itu?

3. Give the root of the following verbs:

menggambar	— to draw (picture)	—	gambar
membuka	— to open	—	. . . . . .
menutup	— to shut	—	. . . . . .
menangkap	— catch	—	. . . . . .
menjawab	— to answer	—	. . . . . .
memakai	— to use, to wear		. . . . . .
membuat	— to make		. . . . . .
mengirim	— to send		. . . . . .
mengambil	— to take		. . . . . .
mengisi	— to fill	—	. . . . . .
menjual	— to sell	—	. . . . . .
mencoba	— to try	—	. . . . . .

A. READING

MENCARI KERJA

+ Permisi, Pak. Saya ingin bertanya. Apakah di sini kantor Mobil Oil?

– Betul.

+ Saya mendengar, Mobil Oil perlu tenaga teknik. Saya ingin melamar.

– Masuklah. Saudara masuk kamar nomor 2. Di sana Saudara akan bertemu dengan Pak Suroso, Kepala Urusan Pegawai.

Pak Suroso: Duduklah. Isilah formulir ini. Tulis nama, umur dan alamat Saudara. Jangan lupa menuliskan pendidikan Saudara. Perusahaan kami mencari banyak tenaga muda untuk daerah-daerah luar Pulau Jawa. Saudara suka bekerja di hutan, misalnya? Atau di laut di tempat pemboran minyak?

+ Suka sekali, Pak. Saya lulusan STM dan sudah lama mencari kerja. Saya mau bekerja di mana-mana. Saya tidak mau tinggal di Jakarta lagi. Hidup di kota terlalu mahal.

– Baik. Saudara kembali hari Senin. Saya akan memberi Saudara surat untuk dokter. Ia akan memeriksa badan Saudara. Juga jangan lupa membawa surat-surat dan ijazah Saudara.

+ Baik, Pak. Permisi.

B. TRANSLATION
LOOKING FOR A JOB

+ Excuse me, Sir. I would like to ask, is this the Mobil Oil office?

– That's right.

+ I've heard that Mobil Oil needs technicians. I'd like to apply.

– Come in, please. Go into room 2. There you will meet Mr Suroso, head of the Personnel Affairs.

Pak Suroso: Sit down, please. Fill out this form. Write down your education. Our company is looking for young workers for areas outside Java. You like to work in the jungle, for instance? Or at sea in oil drillings?

+ I like it very much, Sir. I am an STM graduate and have been looking for work for a long time. I want to work anywhere. I don't want to live in a big city any longer. Life in a city is too expensive.

– Allright. You come back on Monday. I will give you a note for the doctor. He will examine you. Don't forget also to bring along your letters (references) and your diploma.

+ Allright, Sir. Excuse me.

C. GRAMMAR AND IDIOMS

In Lesson XIV we have dealt with the suffix -lah expressing request, somewhat taking the place of the English word "please"

90

Compare:

Masuk! and *Masuklah!*
Pergi! and *Pergilah!*
Berdiri! and *Berdirilah!* (Stand up, please)

In verbs with the *me-* prefix only the root is used in the positive and the *negative* imperative:

Jangan buka jendela ini!   — Don't open this window!

Jangan potong bunga ini!   — Don't cut this flower!

Exception: If the *me-* verb is *intransitive*, the *me-* is retained.

menangis	—	Jangan menangis!
(to cry)		(Don't cry!)
merokok	—	Jangan merokok!
(to smoke)		(Don't smoke!)

silakan is a courtesy word used in offering something, when one wants to be extra polite:

Silakan masuk!   — Come in, please!
Silakan tunggu di sini!   — Please, wait here!
Silakan merokok!   — Please, have a smoke!

The suffix *-kah* is mostly used in stressing a *question*.

Apakah ini rumah Anda?   — Is this your house?

Bisakah Anda datang besok malam?   — Can you come tomorrow evening?

D. VOCABULARY

permisi	— excuse me
ingin	— to wish, would like
tenaga	— power, energy (manpower, worker)
lulusan	— graduate
hidup	— to live

91

ijazah	— certificate, diploma
melamar (lamar)	— to apply (for a job)
urusan	— business, affair
mengisi (isi)	— to fill (up, out)
pendidikan	— education
perusahaan	— business, company
laut	— sea
daerah	— area
pulau	— island
hutan	— forest, jungle
misalnya	— for instance
pemboran	— drilling
minyak	— oil
tangan	— hand
formulir	— form, slip
karcis	— ticket
berdiri	— to stand (up)
alamat	— address
memeriksa (periksa)	— to examine, to check
badan	— body
kaya	— rich
miskin	— poor
mudah, gampang	— easy
murah	— cheap
membuang	— to throw away

E. EXERCISES

1. *Translate:*

1. Wake up, it's half past six! You must go to the office. Drink your coffee and eat your bread! The car is waiting.

2. Before going to the office, buy tickets for the cinema.

3. Throw away this dirty paper and wash your hands.

4. We know that Elly does not work there any more. She has left for Manila.
5. The oil price has gone up since (from) last month.
6. I would like to see (meet with) Mr Smith, the head of the office.
7. You can buy cheap things in the shop near the hotel.
8. Wait until the bus comes!
9. Don't stand too long in the cold room.
10. On the left and on the right of the main road we see lots of bamboo-trees.
11. There are many poor people in this area.
12. We need cooking oil and butter for the party tonight.
13. The company has now three factories outside Medan.
14. On Sundays the family goes to Ancol for a swim in the sea.
15. My friend tried to catch fish in the pond.

2. *Translate:*

1. Tunggulah di sini! Bis itu akan membawa kamu ke terminal.
2. Kamu punya karcis? Aku lupa membelinya.
3. Beberapa hari yang lewat ia datang ke kantor kami melamar kerja.
4. Kita bisa berjalan-jalan di pulau itu dan melihat pohon-pohon di hutan.
5. Minumlah obat ini, sebelum tidur!
6. Pegawai-pegawai hotel itu bekerja sampai jauh malam, karena banyak tamu datang.
7. Pasanglah TV dan taruh buku-buku ini di lemari buku.
8. Di restoran itu orang bisa minta minuman dingin.
9. Kalau tuan akan tinggal lama di Indonesia, belajarlah bahasanya.
10. Pakailah bahasa yang baik dan orang akan mengerti.

11. Mobil kami berhenti beberapa menit menunggu Ibu Darpo.
12. Di bawah pohon besar itu kami melihat beberapa burung terbang.
13. Saya akan bertanya dan Nyonya menjawab dalam bahasa Indonesia.
14. Awas! Jangan merokok dalam kamar ini!

A. READING

DI TOKO

— Silakan masuk, Nyonya. Nyonya bisa melihat-lihat. Di sini
ada bermacam-macam batik, ukiran-ukiran dari Jepara dan
Bali. Ada pakaian untuk pria dan wanita. Kemeja-kemeja
dan taplak-taplak dari batik halus. Ini barang-barang dari
perak buatan Yogyakarta. Juga ada lukisan-lukisan dari pe-
lukis-pelukis terkenal.

+ Saya mau ukiF-ukiran dan kotak-kotak yang akan saya ki-
rim kepada orang tua saya di Amerika.

— Nyonya silakan pilih yang mana Anda suka.

+ Berapa harganya ini?

— Yang besar Rp 3000,— dan yang kecil Rp 2000,—.

+ Saya pilih ini, keranjang dari rotan.

- **Keranjang ini Rp 1750,–**. Semuanya Rp 4750,– Nyonya kasi saja alamat di Amerika dan kami akan kirim dengan pos udara. Dalam satu minggu sudah sampai. Nyonya harus membayar ongkos; tidak banyak.
+ Baik, sekarang saya mau melihat kain batik.
- Ini baik sekali untuk baju Nyonya, dengan bunga-bunga besar. Nyonya lihat di kaca. Manis sekali. Lihat! Ada bermacam-macam warna, coklat, hijau, biru tua.
+ Bisa membayar dengan dollar? Ini kartu saya.
- Tentu saja.

B. TRANSLATION

AT THE SHOP

- Please, come in, Madam. You can look around. There is a variety of batiks, woodcarvings from Jepara and Bali. We have men's and ladies' wear. Shirts and tablecloths from fine batik. These are silver articles made in Yogyakarta. We also have paintings from well-known painters.
+ I want woodcarving and boxes to be sent to my parents in the States.
- Please, make a choice, which do you like?
+ What's the price of this?
- The big one is Rp 3000,– and the small one Rp 2000,–.
+ I choose this, a rattan basket.
- This basket is Rp 1750,–. Altogether Rp 4750,–. Just give the address in the US and we'll send it by air-mail. It will arrive within one week. You will have to pay the charge; it is not much.
+ OK, now I want to see batik cloth.
- This one with the big flowers will be nice for your dress. Just look in the mirror. Very pretty. Look! There are various colours, brown, green, dark blue.
+ Can we pay in dollars? This is my card.
- Certainly

C. GRAMMAR AND IDIOMS

1. Plural (continued) see Lesson XIV.

   Duplication of nouns does *not* occur, if the context already signifies plurality. Note the following sentences.

We have *eyes* for seeing, *ears* for hearing.	=	Kita punya *mata* untuk melihat, *telinga* untuk mendengar.
We stand on our *feet*.	=	Kita berdiri di atas *kaki* kita.

   Beware: *mata-mata* has quite another meaning. It means "spy".

2. Verbs are also duplicated in:

berjalan-jalan	—	to walk around.
bermain-main	—	to play around
melihat-lihat	—	to look around
membeli-beli	—	to buy things (shopping)
membaca-baca	—	to read many things

   This duplication or repetition denotes *frequency of action*.

3. The suffix *an* after a verb makes a *noun*, signifying the *result* of an action.

makan (to eat)	makanan	—	food
minum (to drink)	minuman	—	a drink
masak (to cook)	masakan	—	cooking
buat (to make)	buatan	—	a make (product)
pakai (to wear)	pakaian	—	clothes, wear
tulis (to write)	tulisan	—	(hand) writing
baca (to read)	bacaan	—	reading (matter)
cuci (to wash)	cucian	—	washing (laundry)
bayar (to pay)	bayaran	—	payment
ukir (to carve)	ukiran	—	(wood) carving
lukis (to paint)	lukisan	—	painting

4. *"ada"* in the meaning of *"punya"* (to have, to possess). Especially in the daily speech we use the word *"ada"* to express *to have* or *to possess*.

Nyonya Nani *ada* 3 orang anak perempuan.	— Mrs. Nani has 3 daughters.
Ardi belum *ada* rumah	— Ardi has not a house yet.
Tuan *ada* pensil?	— Do you have a pencil?
Kami *ada* AC di rumah.	— We have an airconditioner at home.
Ia tak *ada* uang.	— He has no money.

C. VOCABULARY

melihat-lihat	— to look around
(ber)macam-macam	— various
ukiran	— (wood) carving
taplak	— tablecloth
halus	— fine
perak	— silver
emas	— gold
pelukis	— painter
melukis	— to paint
terkenal	— famous, well-known
kotak	— box
orang tua	— parents
memilih(pilih)	— to choose, to select, to elect
keranjang	— basket
ongkos	— cost, charge
kaca	— glass, mirror
tentu saja	— of course, certainly
cincin	— ring

98

D. EXERCISES

1. *Translate:*

    1. Where shall we put all the food and drinks, if we go by jeep?
    2. I don't know, whether (apakah) I like Javanese cooking.
    3. The lady bought 5 plates and put them in a big basket.
    4. Please, wait until the train arrives.
    5. I told the maid, that there is no laundry today.
    6. All things in this shop are Indonesian products.
    7. Everybody has to pay (for) the drinks.
    8. Drink (take) this medicine before you go to bed (sleep).
    9. Can you read whose (hand) writing this is?
    10. On the left of the road we see new houses.
    11. Behind the house is a garden with beautiful flowers.
    12. The paper is dark red.
    13. Sorry, I cannot read this writing.
    14. He sent the box to his friend in Australia.
    15. There were also a silver spoon and a gold watch.
    16. Be careful, don't smoke in the bus.

2. *Translate:*

    1. Berapa ongkos dari sini ke Cipanas?
    2. Saya taruh semua pakaian kotor di kamar mandi.
    3. Dia menulis surat kepada orang tuanya minta uang untuk membeli buku-buku.
    4. Ukiran yang bagus ini buatan Jepara.
    5. Sopir kami berhenti di muka kantor pos untuk membeli bensin.
    6. Ibu memilih cincin dari emas.
    7. Kami sekarang ada mesin cuci.
    8. Orang sakit itu tidak boleh mandi dengan air dingin.
    9. Kalau kamu sakit, panggillah dokter.
    10. Jangan buang sampah di dalam rumah!

11. Dengarlah ibu menyanyi!
12. Ada minyak dalam botol kecil itu.
13. Buku siapa ada di bawah tempat tidur?
14. Pergilah membeli perangko dan kirim surat ini dengan pos udara!

A. READING

YANTI

Yanti bekerja di Jakarta dan tinggal di Bogor. Pagi sekali jam 5 ia sudah bangun. Cepat-cepat ia pergi ke kamar mandi. Sesudah sembahyang, ia makan dua potong roti dan minum secangkir kopi panas. Ia harus berjalan kaki ke stasiun yang terletak kira-kira 2 km dari rumahnya.

Jam 5.45 (enam kurang seperempat) ia sudah ada di kereta api yang akan membawanya ke Jakarta. Jam 5.55 (enam kurang lima) kereta api cepat meninggalkan Bogor. Teman-temannya sudah duduk. Untung sekali ia mendapat tempat duduk. Tidak ada tempat kosong lagi. Kadang-kadang ia terpaksa berdiri.

Yanti tidak bekerja di kantor pemerintah; ia bekerja di sebuah bank di kota. Ia bekerja hanya lima hari seminggu. Hari Sabtu dan hari Minggu ia libur. Tiap hari ia baru pulang jam 4

sore dan sampai di rumah jam 6.30 (setengah tujuh). Hari
sudah gelap. Kalau ia ada di rumah ia sudah capek. Sesudah
makan malam, jam 9, ia pergi tidur. Ia jarang menonton tele-
visi. Hari Sabtu dan hari Minggu ia betul-betul beristirahat. Ia
ada waktu untuk membaca buku dan mendengar musik.

B. TRANSLATION

YANTI

Yanti works in Jakarta and lives in Bogor. Very early in the
morning at 5 o'clock she is already up. She hurries to the
bathroom. After praying, she takes two slices of bread and
drinks a cup of hot coffee. She has to walk to the station which
is (located) about 2 km from her house.

At 5.45 she is already in the train that will take her to Ja-
karta. At 5.55 the express leaves Bogor. Her friends are already
seated. Fortunately she gets a seat. There are no more empty
seats. Sometimes she has to stand.

Yanti does not work in a government office, she works at a
bank in the city. She only works five days a week. On Satur-
days and Sundays she has a holiday. However, every time she
cannot leave until 4 o'clock and arrives home at 6.30. It is al-
ready dark then. When she is home, she is tired. After dinner,
at 9 o'clock, she goes to bed. She seldom watches the TV. On
Saturdays and Sundays she takes a complete rest. She reads a
book or listens to the music.

C. GRAMMAR AND IDIOMS

1. Degrees of comparison
   Equality:

   as big *as* this   *sama* besar *dengan* ini;
                                        *se*besar ini.

   a. Rumah kami *sama* besar *dengan* kamar Tuan Rono.
       Rumah kami *se*besar kamar tuan Rono.

102

b. Sekolah ini *sama* tua *dengan* gereja itu.
Sekolah ini *se*tua gereja itu.

c. My son is *not* as smart as Dadi (negative).
Anak saya *tidak se*pintar Dadi.

Our house is *not* as nice as this.
Rumah kita *tidak se*bagus ini.

like a flower	—	*seperti* bunga
like a woman	—	*seperti* orang perempuan

Comparative:

"lebih" is to express the *comparative*, often followed by *"daripada"*.

lebih besar daripada rumah kami	— bigger than our house
lebih mahal daripada tele-visi	— more expensive than a TV
lebih panas daripada Me-dan	— hotter than Medan
lebih muda daripada saya	— younger than I

Superlative: is expressed by the word *'paling'*.

Jakarta kota yang paling mahal	— Jakarta is the most ex-pensive city.
Sabun yang paling baik.	— The best soap.
Kota yang paling bagus.	— The most beautiful city.

We also use the prefix *ter-* before an adjective to indicate the superlative:

Jakarta kota yang *ter*mahal.
Sabun yang *ter*baik.
Kota yang *ter*bagus.

2. The word *"time"* has 3 meanings in Indonesia, i.e.:

   a. waktu
   b. kali (to express frequency)
   c. jam (pukul)

waktu

Saya tidak ada (punya) *waktu*	— I have no time.
Ibu ada (punya) sedikit *waktu.*	— Mother has a little time.
Waktu habis.	— Time is up.

kali:

Saya mandi 2 *kali* sehari.	— I take a bath *twice* a day.
Minumlah obat ini 4 *kali* sehari	— Take this medicine 4 *times* a day.
Noni banyak *kali* datang ke sini.	— Noni comes here many *times.*
Berapa *kali* seminggu anda belajar?	— How many *times* a week do you have class?

jam:

Jam (pukul) berapa kamu pergi ke sekolah?	— At what time do you go to school?
Jam (pukul) berapa sekarang?	— What time is it now?

kurang – less:

kurang dari 10 km	— less than 10 km
kurang dari 5 hari	— less than 5 days

We also used, *kurang* in the content:

kurang besar	— less big or not so big.
kurang sehat	— less healthy or not quite well.
kurang terang	— less clear or not so clear.

D. VOCABULARY

sembahyang	— to pray, a prayer
potong	— slice
terletak	— located
meninggalkan	— to leave (behind)
selalu	— always
sering	— often
kadang-kadang	— sometimes
jarang	— seldom
pemerintah	— government
libur	— holiday
untunglah	— fortunately
mendapat	— to get, to obtain
membakar	— to burn
menonton (tonton)	— to watch (a game, film, TV)
beristirahat	— to rest
oleh karena itu	— therefore

E. EXERCISES

1. *Translate*

1. Our friends still do not know what time the train will arrive.
2. I don't have the time to read all the magazines.
3. This time I want to relax and go for swim.
4. Where is Betty? She has just gone into the kitchen.
5. He brought a book, when he came to me at 8.30.
6. Our driver told me that Prapat is more than 100 km from Medan.
7. The new hotel is better than Hotel Matahari and also more expensive.
8. The old man told us that he is more than 80 years old.
9. Allright, I'll try to be at the station at 7 o'clock sharp.
10. My mother has to go to the doctor three times a week.

105

11. We stayed in Singapore (for) less than one week; we could not stay any longer.
12. These are the best shoes in town.
13. Who will pay (for) the taxi?
14. Do you know the best hotel in Bali?
15. If he is out, I'll come tomorrow at 12 o'clock.

2. *Translate:*

1. Kami sudah tiga kali menelepon Anda, tetapi Anda tidak ada.
2. Kalau ada waktu, saya akan pergi ke pulau itu untuk beristirahat beberapa hari.
3. Bandung kira-kira 3 jam dari sini naik bis.
4. Ali selalu bangun sesudah pukul 7.
5. Pemerintah akan membeli 3 buah pesawat udara dari Belanda (the Nederlands).
6. Kadang-kadang ia naik taksi ke kantor.
7. Kami jarang pergi ke luar kota.
8. Kamar depan lebih besar dari kamar·ini.
9. Nyonya Wilson tinggal kurang dari satu bulan di Canada.
10. Dia sudah lebih dari seminggu tinggal di rumah sakit.
11. Saya lihat ada rumah yang kosong di jalan ini.
12. Yanti mulai bekerja hari ini di apotek.

A. READING

DILARANG MEMBUANG SAMPAH DI JALAN

Seluruh keluarga sudah siap untuk berangkat. Semua pintu dan jendela sudah dikunci. Mobil jeep sudah menunggu di depan rumah.

"Mobil sudah dicuci?" tanya ayah kepada Saiman.

"Sudah, Pak," jawab Saiman, sopir kami.

Tiba-tiba Adi berteriak: "Pak, garasi belum ditutup."

Segera Saiman pergi menutup pintu. Tiga buah kopor ditaruh di dalam jeep.

"Kopi siapa ini?" tanya ibu. "Pak, kopimu belum diminum."

Tidak lama kemudian, mereka sudah dalam perjalanan ke bandar udara.

"Oh ya," kata ayah. "Saya hampir lupa. Di mana tiket kita?" Dia memeriksa semua tasnya. Ia mengeluarkan semua kertas yang tidak perlu dan membuangnya ke jalan.

"Hei, hei, Pak", teriak Mimi, adik kami yang paling kecil. "Jangan, Pak! Dilarang membuang sampah di jalan."

B. TRANSLATION

FORBIDDEN TO THROW GARBAGE ON THE ROAD

The whole family was ready to leave. All the windows and doors had been locked. A jeep was waiting in front of the house.

"Has the car been washed?" asked father.

"Yes, Sir", answered the driver.

Suddenly Adi called. "Father, the garage is not closed yet".

He immediately went to close the garage. Three suitcases were put in the jeep.

"Whose coffee is this?" asked mother. "Father, your coffee has not been drunk yet".

Not long afterwards, they were on the way to the airport.

"Oh yes", said father. "I almost forget. Where are our tickets?" He examined all his bags. He took all papers he did not need and threw them on the street.

"Hei, hei, Dad", shouted Mimi, our youngest sister. "Don't! It's not allowed to throw away rubbish on the road!"

C. GRAMMAR AND IDIOMS

Passive voice. The passive construction is very common in Indonesian.

Sopir mencuci mobil.

The subject "sopir" is a factor on which the action is dependent, the object "mobil" is the thing to which something is being done.

If the object is to be emphasized it is placed at the beginning of the sentence and the prefix *di* — is placed in front of the rootword to which "oleh" (by) is sometimes added.

This *passive* construction is only used to *transitive* verbs, like *makan, minum* and most *me* — *verbs*.

In the passive voice, the above sentence would read:
Mobil dicuci (oleh) sopir.

The passive voice or *di- construction* can only be used in the following cases:

a. if the author is not mentioned

Semua pintu sudah *di-* — All doors have been closed.
tutup.

b. if the author of an action is designated by a noun.

Surat ini ditulis (oleh) — This letter was written
ibu.   by mother.

Note: The use of *oleh* (by) is optional

c. if the author of an action is expressed by a pronoun in the *3rd person*. (singular or plural).

Kopi saya diminum*nya* — My coffee was drunk by
                         him.

Tas ibu diambil*nya*   — Mother's bag was taken
                          by him.

In this case the suffix-*nya* is added to the rootword.

dibayar	— to be paid
dibeli	— to be bought
dijual	— to be sold
diambil	— to be taken
dicuci	— to be washed
dipanggil	— to be called
digoreng	— to be fried

dibaca	— to be read
ditulis	— to be written

D. VOCABULARY

siap	— ready
perjalanan	— trip, journey
memeriksa (periksa)	— to check, to examine
kopor/koper	— suitcase
sewa	— rent
sampah	— garbage, rubbish
mengeluarkan	— to take out
nakal	— naughty
kartu pos	— postcard
kapal	— ship, boat

E. EXERCISES

1. *Change from the active into the passive:*

   1. Minah mendengar *kabar itu* di radio.
   2. Anjing makan *roti saya.*
   3. Tuan Harry akan memanggil *polisi.*
   4. Pembantu belum mencuci *piring-piring kita.*
   5. Ibu sudah memasang *lampu* di kamar.
   6. Pak Samin akan menjual *rumah barunya.*
   7. Gramedia mencetak *buku-buku sekolah.*
   8. Polisi itu membawa *orang tua itu* ke kantor polisi.
   9. Pemerintah sudah menutup *pabrik itu.*
   10. Marto memotong *pohon di muka rumah kami.*
   11. Ayah memukul *adik yang nakal itu.*
   12. Tati belum membayar *kain batiknya.*
   13. Tuan Liong membaca *kabar itu* di surat kabar pagi.
   14. Teman saya membuka *pintu mobil.*
   15. Dia mengirim *barang-barang itu* dengan kapal.

2. *Translate:*
   1. Surat ini mesti selekas mungkin dibawa ke kantor pos.
   2. Dilarang merokok di pompa bensin.
   3. Jalan ini ditutup untuk bis dan truk.
   4. Di dalam suratnya ia menulis, bahwa uang itu belum diterimanya sampai sekarang.
   5. Rumah kosong di depan rumah kami akan dibeli oleh perusahaan minyak.
   6. Di kantor ia dibantu oleh seorang sekretaris wanita.
   7. Dollar ini bisa ditukar di tiap bank.
   8. Mobil itu harus dicuci dulu kalau akan dipakai.
   9. Kalau kamu mau masuk, pintu kaca ini harus didorong.
   10. Surat ini ditulisnya, waktu ia tinggal di Los Angeles.
   11. Surat kabar ini dicetak oleh sebuah perusahaan besar di ibukota.
   12. Semua sampah harus dibakar.
   13. Presiden kita diundang oleh pemerintah Pakistan untuk datang ke pesta ulang tahun negara itu.
   14. Jangan pakai gelas itu, ia belum dicuci.

3. *Choose the correct form of the verbs in brackets:*
   1. Perangko bisa (membeli — dibeli) di tiap kantor pos.
   2. Pak Sadli akan (menjual — dijual) rumahnya kepada orang Cina itu.
   3. Pak Rasid selalu (membawa — dibawa) roti dan kopi ke kantor.
   4. Kartu pos itu (menerima — diterima) ayah kemarin.
   5. Kami semua (mengundang — diundang) datang ke pesta itu.
   6. Dokter (memanggil — dipanggil) ke rumah sakit.
   7. Semua pakaian (mencuci — dicuci) dengan mesin cuci.
   8. Kantor itu (mencari — dicari) banyak pegawai untuk pabrik susu.

9. Semua nama harus (menulis — ditulis) dalam sebuah buku.

10. Pohon-pohon yang tinggi harus (memotong — dipotong).

11. Lampu besar akan (memasang — dipasang) di pintu kebun.

12. Pisau itu (memakai — dipakai) untuk (memotong- dipotong) daging.

13. Kabar itu (mengirim — dikirim) dengan telepon.

14. Saya dengar, sewa rumah ini sampai sekarang belum (membayar — dibayar).

15. Kalau ayam itu sudah (menggoreng — digoreng) taruhlah di atas piring.

LESSON XIX

A. READING

DITAHAN POLISI

Seorang wanita berpakaian bagus, ketika keluar dari sebuah toko, ditahan oleh polisi. Wanita itu membawa tas plastik penuh dengan barang-barang. Polisi itu berkata: "Permisi, Nyonya, coba keluarkan semua barang-barang itu".

Nyonya itu bertanya dengan heran: "Kenapa?"

Satu persatu dikeluarkannya dari tasnya: sabun, bedak, minyak wangi, kain-kain, mainan anak-anak, sandal, sepatu dan lain-lain.

"Minyak wangi ini, mana bonnya?" tanya polisi itu.

"Ada," jawab wanita itu. "Minyak wangi ini sudah saya bayar".

"Kain-kain ini tidak Nyonya beli. Nyona ambil dan belum nyonya bayar!"

'Sudah," jawab wanita itu. Kain-kain itu sudah dibung-
kus dan saya taruh dalam tas saya."

"Ya, tetapi belum Nyonya bayar. Tidak ada bonnya?"

Memang, ia tidak bisa memperlihatkan tanda pembayaran
minyak wangi dan kain-kain itu. Polisi terpaksa membawa
wanita muda itu ke pos polisi. Ia dituduh mencuri barang itu
di toko.

B. TRANSLATION

DETAINED BY THE POLICE

A well-dressed woman, while going out of a store was detained
by the police. The woman carried a plastic bag full of things.
The policeman said: "Excuse me lady, will you take out all
the items!"

The woman asked with surprise: "Why?"

One by one she took out: soap, face-powder, perfume,
pieces of cloth, children's toys, sandals, shoes etc. from her
bag.

"Where is the receipt for this perfume?" asked the police-
man.

"Here it is," answered the woman. "I 've paid for the per-
fume already".

"You haven't bought these pieces of cloth. You took them
and you haven't paid".

"I have", answered the woman. "These pieces of cloth have
been wrapped up and I put them in my bag."

"Yes, but you have not paid yet. Where is the receipt,
please?"

Indeed, she could not show the receipts of the perfume and
the pieces of cloth. The policeman had to take the woman to
the police station. She was suspected of stealing things from
the shop.

C. GRAMMAR AND IDIOMS

a. *Passive voice* (continued). In the previous lesson we have seen that the passive is formed by adding the prefix *di* – to the rootword, however, only if the author of the action is *not* mentioned, or if the author is a 3rd person or a pronoun in the 3rd person.

The *di* – construction is *not* used if the author is expressed by a pronoun in the *1st person* (saya, aku) and *2nd person* singular or plural (Anda, kamu, Tuan, Nyonya, etc.) In this case the pronoun is placed *in front* of the rootword of the transitive verbs. Pronoun i and verb (predicate) are *inseparable* in so far that neither adverbs nor any other words like: *tidak, belum, sudah, akan, mesti, mau, boleh,* etc. can be put between the pronoun and the verb.

ORDER OF WORDS in the 1st and 2nd PERSON PASSIVE

Pakaian itu	belum	saya cuci
Meja itu	bisa	saya ambil sekarang
Surat kabar itu	sudah	saya baca
Pintu ini	tidak	kamu kunci
Surat itu	akan	Saudara bawa ke kantor
Obat itu	tidak boleh	nyonya minum
Buku ini	mesti	tuan baca

Notice the following examples:

3rd person or unknown author:

active : Supir sudah mencuci mobil saya.

passive : Mobil saya sudah dicuci supir.

active : Mereka akan menjual toko itu.

passive : Toko itu akan dijual mereka

1st and 2nd person:

active : Saya belum makan roti.

passive :	Roti belum saya makan.
active :	Kami tidak memanggil dokter.
passive :	Dokter tidak kami panggil.
active :	Anda bisa membaca buku ini.
passive :	Buku ini bisa Anda baca.
active :	Kamu tidak boleh membuka pintu ini.
passive :	Pintu ini tidak boleh kamu buka.

In the official language, i.e. to intimate friends, to children and juniors "saya" is replaced by "aku" and "tuan", "Anda" "saudara" by "kamu" or "engkau". In this case *aku* and *engkau* are usually written as affixes *ku* and *kau,* not as words, so that we often see the passive sentences:

Roti itu belum *kumakan*
Jendela tidak bisa *dikunci.*

Instead of : Roti itu belum *aku* makan.
Jendela tidak bisa *engkau* kunci.

The meaning of the sentences both in the active and in the passive structure is identical. The difference is that in the active sentence the *doer* or *author* is the main thought, whereas in the passive the "sufferer" or the object is the most important part in the mind of the speaker.

Note:

wrong : Surat itu *saya* sudah *tulis.*
Kunci itu *Tuan* bisa *ambil.*

correct : Surat itu sudah *saya tulis.*
Kunci itu bisa *Tuan ambil.*

b. *membawa (bawa)* — to bring, to take, to carry

Kalau engkau pergi ke pasar, jangan lupa membawa surat ini ke kantor pos.	— When you go to the market, don't forget to *take* this letter to the post-office.

116

Saya harus membawa Ati ke dokter.	— I must *take* Ati to the doctor.
Ibu membawa mangga dari pasar	— Mother *brought* a manggo from the market.
Bis itu membawa banyak penumpang	— The bus *carried* many passengers.

c. *mengambil (ambil)* — to take, to fetch, to go and get

| Kalau engkau pergi ke dapur ambil satu gelas air. | — If you go to the kitchen, *get* me one glass of water. |
| Siapa mengambil buku dari tas saya? | — Who *took* the book from my bag? |

d. *betul* — right, correct

e. *salah* — wrong, mistaken, fault

Saya betul, Saudara salah.	— I am right, you are wrong.
Kalau saya tidak salah, . . .	— If I'm not mistaken . . .
Itu bukan salah saya.	— It is not my fault.

f. *pikir, kira* — to think, to suppose

| Saya pikir, dia ada di Surabaya sekarang. | — I think, he is in Surabaya now. |
| Kami kira, dia orang India | — We suppose, he is Indian. |

D. VOCABULARY

menahan (tahan)	— to stop, to detain
wanita, perempuan	— woman, female
pria, laki-laki	— man, male
berpakaian	— dressed
dll. (dan lain-lain)	— and others (etc, etc)
penuh	— full
heran	— surprised

117

satu persatu	— one by one
korek api	— matches
bedak	— face-powder
minyak wangi	— perfume
mainan	— toy
sandal	— sandals
bon	— bill, check
membungkus (bungkus)	— to pack, to wrap up
memang	— indeed
memperlihatkan	— to show
tanda pembayaran	— receipt
terpaksa	— to be forced, to have to
menuduh (tuduh)	— to accuse, to suspect
pencopet	— pickpocket
penumpang	— passenger

E. EXERCISES

1. *Change these sentences into the passive:*

   1. Aku mendengar *musik itu* di toko.
   2. Kami membayar *sewa rumah itu* dengan dollar.
   3. Saya minum *obat* sesudah makan.
   4. Anda harus menulis *nama Anda* dengan pensil.
   5. Nyonya membeli *lampu itu* di Jalan Surabaya.
   6. Tuan menerima *buku* ini dari nona Baiti.
   7. Saya memakai *sabun itu* dengan air dingin.
   8. Saya tidak boleh mencuci *pakaian* di kamar mandi.
   9. Kami sudah melarang *anak itu* bermain di kamar.
   10. Saya baru melihat *kereta api* 5 menit yang lalu.
   11. Kamu harus memasang *bendera* di muka rumah.
   12. Saya menelepon *kantor itu* sesudah jam 8.
   13. Kami segera memanggil *dokter*.
   14. Anda boleh memeriksa *lemari kami*.
   15. Di mana Anda menyimpan *uang*?

2. *Translate into English, but use the active voice as it is more common:*

1. Nama saya, saya tulis dalam buku tamu.
2. Roti sudah saya makan, tetapi kopi belum saya minum.
3. Saya tak perlu surat kabar; surat kabar sudah saya baca tadi pagi.
4. Kopor dan tas saya bawa sendiri (myself).
5. Mobil baru yang saya beli tahun yang lalu, sudah saya jual.
6. Lebih baik semua surat, Anda simpan di dalam lemari.
7. Nasi itu mesti sekarang engkau masak.
8. Bunga anggrek (-orchid) bisa kita beli di Taman Slipi.
9. Mesin itu harus Anda periksa dahulu.
10. Bagaimana saya bisa masuk; semua pintu Anda kunci, semua gelap dan korek api tidak ada.
11. Jendela kamar depan terpaksa kami buka.
12. Tunggu sebentar, kakiku belum kucuci.
13. Pakaian seperti ini bisa kita beli di semua toko.
14. Lebih baik barang yang berat ini Anda kirim dengan pos kilat (express).
15. Kenapa anjing saya Anda pukul?

A. READING

DI BENGKEL MOBIL

Pak Karman : Kali ini saya mau berangkat lebih pagi. Saya mau membetulkan mobil. Mesinnya berjalan tidak begitu baik.

Ibu : Tidak bisakah engkau kerjakan itu sesudah jam kantor?

Pak Karman : Mana bisa? Pulang kantor sudah jam 4. Bengkel mobil sudah tutup. Lebih baik saya pergi sekarang saja. Tidak lama. Kira-kira satu jam selesai. Pukul 8 saya sudah ada di kantor.

Pegawai
bengkel : Ada apa, Pak? Bisa saya tolong?

Pak Karman : Jalannya kurang rata. Saya pikir, dinamo, aki dan platinanya harus dibersihkan. Rem mobil ini juga tidak baik. Gasnya juga harus diperiksa.

120

Pegawai bengkel	:	Baik, Pak. Bapak tunggu saja di sini. Silakan duduk. Saya lihat, busi dan karburatornya juga kotor. Rupanya mobil Bapak sudah lama tidak diservis.
Pak Karman	:	Memang, sudah 2 bulan. Saya tidak ada waktu. Selalu sibuk. Saya pulang dari kantor, ketika bengkel sudah tutup.
Pegawai bengkel	:	Bengkel kami buka sampai jam 8 malam. Kalau Bapak datang jam 5 sore, tukang-tukang kami masih ada.
Pak Karman	:	Baiklah, lain kali saya datang sesudah jam kantor. Lihat, apakah bensin masih cukup.

B. TRANSLATION

AT THE GARAGE

Pak Karman	:	This time I want to leave earlier. I want to have the car fixed. The engine does not run so well.
Mother	:	Can't you do it after office hours?
Pak Karman	:	How is it possible? I come home from the office at 4. The garage is closed then. I'd better go now. It won't be long. Only about one hour. .... At 8 I'll be at the office.
Garage attendant	:	What's the matter, Sir? Can I help you?
Pak Karman	:	It doesn't run smoothly. I think, the generator, the battery and the distributor point should be cleaned. The brake of this car is not so good either. The accelerator must also be checked.
Attendant	:	Allright, Sir. You just wait here. Take a seat, please. I see, the plug and carburator are also dirty. It seems, your car has not been serviced for quite a long time.

Pak Karman : Indeed. For two months already. I haven't got any time, I'm always busy. I come home from the office, when the shop is already closed.

Attendant : Our garage is open until 8 p.m. If you come at 5 our workmen are still there.

Pak Karman : OK, then. Next time I'll come after office hours. Look, if there is enough petrol.

C. GRAMMAR AND IDIOMS

1. *Verbs with the suffix — kan*

In previous lessons, we have seen verbs with the ending-*kan* like: *memasukkan, mengeluarkan, membersihkan, membetulkan*, which respectively means: to put into, to take out. to clean, to repair.

The suffix -*kan* implies *to cause, to make* something happen that is expressed by the root.

The *me-* verbs with the suffix -*kan* are all transitive. These verbs are nasalized, depending on the initial sound of the root.

masuk	— to enter
memasukkan	— to make something enter; to put into
keluar	— to go out
mengeluarkan	— to make something go out; to take out.
bangun	— to wake up, awake
membangunkan	— to make somebody awake, to wake someone up
jatuh	— to fall
menjatuhkan	— to cause something to fall; to drop
tinggal	— to stay, to remain

122

meninggalkan	– to make something stay; to leave behind
ada	– to be, to exist
mengadakan	– to make something exist, to hold (a party, conference, meeting, etc.)
kembali	– to return
mengembalikan	– to return something

2. The *me – kan* verb can also be formed from *adjectives*.

bersih	– clean
membersihkan	– to clean
betul	– correct
membetulkan	– to correct, to repair
kosong	– empty
mengosongkan	– to empty
terang	– clear
menerangkan	– to make clear, to explain
panjang	– long
memanjangkan	– to lengthen, to extend
tinggi	– high
meninggikan	– to heighten, to raise

D. VOCABULARY

bengkel	– workshop, garage
garasi	– garage
mesin	– machine, engine
rata	– even, smooth
dinamo	– generator
aki	– accumulator, battery
rem	– brake
gas	– accelerator
busi	– spark plug
platina	– distributor point

123

tukang	— workman
tukang kebun	— gardener
tukang daging	— butcher
tukang sayur	— vegetable man
tukang rokok	— cigaretteseller
tukang kayu	— carpenter
nenek	— grandmother

E. EXERCISES

1. *Translate:*

1. Beberapa kali saya coba membangunkan ibu, tetapi ibu tidur terus.

2. W.H.O. akan mengadakan konperensi besar di **Malang** 3 bulan sesudah Lebaran.

3. Sesudah semua barang dimasukkan ke dalam jeep, kami berangkat.

4. Jangan lupa, sebelum engkau pergi, dapur dan kamar mandi harus dibersihkan.

5. Dari rumah kami bisa melihat kapal terbang menjatuhkan parasut.

6. Waktu masih berumur 5 tahun, ayahnya pindah ke kota dan ia ditinggalkan dengan neneknya.

7. Kami memanggil seorang tukang yang bisa membetulkan mesin tulis dan alat-alat listrik seperti AC, lemari es dan lain-lain.

8. Saya coba menerangkan dalam bahasa Inggris, tetapi turis itu tidak mengerti.

9. Masukkan bensin ini ke dalam botol yang besar, tetapi jauhkan dari api.

10. Nyonya Spencer terpaksa pergi sendiri ke bengkel untuk membetulkan mobilnya.

11. Tolong bersihkan barang-barang yang ada di atas meja di dalam kamar saya.

12. Jangan lupa mematikan semua lampu, kalau kamu mau tidur.
13. Dia mengeluarkan semua mainan dari lemari dan memasukkannya ke dalam kopor.
14. Kenapa engkau tinggalkan kunci rumah di dalam mobil?
15. Tidak lama lagi teman saya akan dipindahkan ke Bangkok.

2. *Translate:*

1. When you have finished cooking, clean the room, please.
2. Wake me up before 6, because I want to take the bus to Malang.
3. He put all the drinks and cakes in the refrigerator.
4. Take the car out of the garage and put all the cases into the trunk (bagasi).
5. I see our clock has not been repaired yet.
6. All the bottles on the table must be emptied.
7. I tried to wake him up, but he did not wake up.
8. Father and mother left India, when I was 5 years old (berumur).
9. Our office will hold a party next week.
10. The policeman said: "Please, explain where you were after office yesterday."
11. Because of the flood, the government elevated the road to Pasar Senen.
12. Every Sunday morning we clean our garden.
13. Before leaving, he left a letter for his wife.
14. I'm sorry, I cannot explain it in Indonesian.
15. I've been looking for someone who can repair our washing-machine.

A. READING

KE BALI

Hari pertama

Tepat jam 2.30 sore pesawat udara kami, Garuda DC 9, mendarat di lapangan udara Ngurah Rai, tidak jauh dari Denpasar, ibukota propinsi Bali. Sebuah bis kecil langsung membawa kami ke Bali Hotel. Di sana kami istirahat sebentar dan memesan minuman sejuk.

Kepada manajer hotel itu kami beritahukan, bahwa kami lebih suka menginap di Kuta. Kami tahu, bahwa Kuta sebuah kota kecil terletak di tepi pantai yang indah, di sebelah barat Pulau Bali. Sesudah istirahat kami pergi melihat-lihat ke kota. Kota Denpasar penuh dengan toko-toko kesenian. Di mana-mana kami melihat patung-patung, ada yang dari batu dan yang kecil-kecil diukir dari kayu.

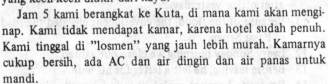

Jam 5 kami berangkat ke Kuta, di mana kami akan menginap. Kami tidak mendapat kamar, karena hotel sudah penuh. Kami tinggal di "losmen" yang jauh lebih murah. Kamarnya cukup bersih, ada AC dan air dingin dan air panas untuk mandi.

Sore itu kami pergi ke pantai yang indah, beberapa meter dari losmen kami. Kami menikmati matahari terbenam. Indah sekali. Banyak turis tidur-tiduran di atas pasir yang putih. Karena udara bagus sekali, kami betul-betul merasa bahwa kami waktu itu ada di Pulau Dewata.

Sesudah makan malam, kami pergi melihat toko-toko souvenir dan menonton pertunjukan tari Bali.

Jam 12.30 kami tertidur, karena sudah capek sekali.

Hari kedua

Pagi itu sesudah makan pagi dan minum kopi, kami telah siap untuk berangkat. Tujuan pertama ialah ke Pantai Sanur yang terletak di timur. Pantai ini lebar dan indah sekali. Orang bisa berjemur, berenang dan main surfing. Di pantai Sanur banyak sekali hotel yang bertaraf internasional, a.l. Hotel Bali Beach, Bali Hyatt Hotel, dan Hotel Sanur Beach. Ada pula hotel yang terdiri dari bungalow dan cottage. Di mana-mana kelihatan kuil-kuil. Kami menyaksikan tari-tarian dari gadis-gadis yang berpakaian warna-warni. Alangkah bagusnya!

Dari Sanur rombongan kami terus ke Ubud, 25 km dari Denpasar. Kota itu terkenal karena pelukis-pelukisnya. Di pinggir jalan terdapat toko-toko yang menjual souvenir, lukisan-lukisan, ukiran-ukiran, barang antik, kerajinan tangan dan kain.

Sebetulnya, di Bali orang juga bisa bepergian menyewa taksi Rp 2.500,— satu jam. Atau kalau mau lebih hemat lagi, orang bisa menyewa sepeda motor. Kita tentu lebih bebas dengan membayar satu hari Rp 2000,—. Lebih murah lagi naik bis atau naik dokar untuk jarak-jarak yang dekat. Di Ubud terlihat pemandangan alam yang indah penuh dengan sawah-sawah. Pohon-pohon semua berwarna hijau dan juga terdapat sungai-sungai (kali), gua-gua di antara puri-puri. Juga terdapat hutan, di mana kita bisa melihat monyet-monyet bermain-main.

Ubud juga terkenal karena museumnya. Di Puri Lukisan, kita bisa melihat lukisan-lukisan indah khas Bali. Juga kita bisa menikmati karya pelukis-pelukis Barat seperti Bonnet, Walter Spies dan Le Majeur.

Di tempat-tempat ini yang bisa dicapai melalui jalan-jalan aspal yang rata, kita bisa menyaksikan adat-adat, upacara agama rakyat, yang sebagian besar beragama Hindu-Bali. Upacara terbesar ialah "Pembakaran Mayat" yang kadang-kadang diadakan.

Kalau di Kuta kita bisa mengagumi matahari terbenam, maka di Sanur kita bisa puas menyaksikan matahari terbit, di waktu pagi.

Dari Ubud kita teruskan perjalanan kita ke Kintamani, sebuah kota sejuk di pegunungan, di mana kita bisa melihat industri barang-barang perak. Dari Kintamani kita pergi ke Tampaksiring, dengan Tirta Empul sumber sungai, yang dianggap sakti. Di dalam puri ada mata air dan banyak orang pergi mandi ke sana.

Di bawah pohon, di Kintamani yang sejuk hawanya, karena terletak di kaki gunung, kita kagum melihat pemandangan ke sebuah danau yang airnya berwarna biru. Alangkah bagusnya!

Hari ketiga

Pagi-pagi kami berangkat dari Kuta. Sekarang tujuan kami melihat tempat-tempat lain seperti Besakeh. Di sana ada sebuah puri besar, yang tinggi letaknya. Kami harus naik tangga untuk masuk puri. Sepanjang jalan kiri kanan kelihatan sawah-sawah. Semua masih hijau.

Dari Karangasem dengan istana di atas air, kami terus berkeliling dan akhirnya sampai di Tanah Lot, di sebelah barat Pulau Bali. Kami harus berjalan beberapa meter melalui air untuk mencapai puri yang terletak di laut.

Setelah melihat pemandangan-pemandangan yang bagus dan kesenian rakyat dengan bermacam-macam tariannya, kami kembali ke tempat kami menginap. Kami tidak saja capek, tetapi juga lapar dan haus.

Hari keempat

Pagi-pagi kami sudah siap untuk terbang kembali ke Jakarta, penuh kenang-kenangan yang indah pada Pulau Bali, yang juga dikenal dengan nama "Pulau Surga".

B. TRANSLATION

TO BALI

First day

At exactly 2.30 our plane, Garuda DC 9, landed at the airport Ngurah Rai, not far from Denpasar, the capital of the province of Bali. A small bus took us straight to Bali Hotel. There we relaxed a while and ordered cool drinks.

We informed the hotel manager that we preferred to stay the night in Kuta. We knew that Kuta was a small town, located on a beautiful beach, on the west side of the island of Bali. After a rest, we went to the town sightseeing. The town of Denpasar was full of artshops. Everywhere we saw statues, some made of stone and small ones carved of wood.

At 5 o'clock we set out for Kuta where we would stay over-night. We could not get rooms, because the hotel was fully booked. We stayed in a "losmen" which was much cheaper. The rooms were reasonably clean; there was an airconditioner and even cold and hot water for the bath.

That afternoon we went to the wonderful beach, which was a few meters from our cottage. How fascinating! Many tourists were laying on the white sand. Because of the beautiful weather, we really had the feeling that we were in "Pulau Dewata" the Isle of Gods.

129

After dinner we went to see the souvenirshops and watched Balinese dance performances. At half past twelve we fell asleep, because we were very tired.

Second day

That morning after breakfast and coffee we were ready to leave. Our first destination was Sanur, on the eastcoast of Bali. The beach was wide and very beautiful. People could swim and enjoy surfing there. In Sanur were many hotels of international standard, a.o: Bali Beach Hotel, Bali Hyatt Hotel and Sanur Beach Hotel. There were also bungalows and cottages.

Everywhere we saw temples. We watched dances performed by girls in colourful dresses. How fantastic!

From Sanur our group continued to Ubud, 25 km from Denpasar. This town is known for its painters. On the roadside we found shops selling souvenirs, paintings, woodcarvings, antiques, handicraft and woven cloth.

In fact one can also take trips by renting a taxi for Rp 2500, per hour. If one wants to economize, he can rent a motorcycle. Of course you have more freedom by paying Rp 2000, per day. Even cheaper are the bus and "dokar", (a horse drawn cart). In Ubud we saw beautiful landscapes full of ricefields. The trees were all green. Also there are rivers, caves among the shrines. There is also a forest where we can see playing monkeys.

Ubud is also famous for its museum. At the Puri Lukisan we could admire beautiful paintings, specifically Balinese. We could also enjoy seeing works of Western painters like Bonnet, Walter Spies and Le Majeur.

In places which were connected by smooth asphalted roads we could watch the customs and religious rites of the people who were predominantly Hindu-Bali. The biggest ceremony is the "Cremation," which is occasionally held.

While in Kuta we admired the sunset. In Sanur we could

130

watch the sunrise to our heart's content.

From Sanur and Ubud we continued our trip to Kintamani, a cool place in the mountains, where we could see the silver work industry. From Kintamani we went to Tirta Empul, the source of a river that is deemed sacred. In the temple is a source and many people go there for a bath.

From a shady tree in Kintamani, we enjoyed seeing a fantastic view of a lake with its blue water. Wonderful.

Third day
Very early in the morning we left Kuta. Now our destination was to see other places like: Besakeh. There is a temple high up. We had to climb stairs to enter the temple. Along the road, on both sides, we saw ricefields. Everything was green.

From Karangasem with its water-palace, we travelled around and eventually arrived at Tanah Lot, on the westcoast of Bali. We had to wade through the water for a few metres to reach the shrine that was located in the sea.

After having seen marvellous landscapes and folk arts with the various dances, we returned to the place where we stayed the night. We were not only exhausted, but also hungry and thirsty.

Fourth day
Very early in the morning we were ready to fly back to Jakarta, full of pleasant memories of the Isle of Bali, renowned by the name of "Isle of Paradise".

G. GRAMMAR AND IDIOMS

1. *Verbs with the suffix — kan* (continued):
   The intransitive verbs with the prefix *ber-* can also be made transitive by using the suffix *-kan.*

berdiri	— *to stand*
mendirikan	— *to erect, to establish*

131

Mereka akan mendirikan pabrik gelas di sini.	— They will establish a glass-factory here.
Sekolah itu *didirikan* pada tahun 1930.	— The school was established in 1930.
berbicara	— *to talk*
membicarakan	— *to talk about, to discuss.*
Saya tidak mengerti apa yang mereka *bicarakan.*	— I do not understand what they are talking about.
Bicarakanlah itu dengan Mr Pedro.	— Discuss it with Mr Pedro.
bekerja	— *to work*
mengerjakan	— *to do, to carry out*
Kakak perempuan saya *bekerja* di pabrik tekstil.	— My sister works in a textile factory.
Saya tidak tahu siapa yang akan *mengerjakan* itu.	— I don't know who will do it.
bertanya	— *to ask*
menanyakan	— *to ask about, to enquire*
Kami *menanyakan* kapan kapal itu akan berangkat.	— We asked when the ship would be leaving.

2. *Notice the variety of meaning in these verbs:*

menyewa	— *to rent*
Sampai di Bali kami *menyewa* kamar.	— Arriving in Bali, we rented a room.
menyewakan	— *to rent (out)*
Pak Sastro punya banyak rumah; ia *menyewakan* satu rumah kepada orang asing.	— Pak Sastro owns many houses; he ranted one out to an expatriate
bangun	— *to wake up*
Saya *bangun* jam 5.	→ I wake up at 5.

membangun	— *to build, to construct*
Pemerintah *membangun* sebuah jembatan besar di Kalimantan Barat.	— The government is building a colossal bridge in West Kalimantan.
membangunkan	— *to wake somebody up*
Bangunkan ayah; ia mesti pergi ke kantor.	— Wake father up! He must go to the office.
tinggal	*to stay, to remain*
Semua pergi ke bioskop. Saya *tinggal* di rumah sendirian.	— Everybody went to the cinema. I stayed alone at home.
meninggal (dunia)	— *to die, to pass away*
Ayah *meninggal*, waktu saya berumur 7 bulan.	— Father died, when I was 7 months old.
meninggalkan	*to leave behind*
Ibu *meninggalkan* kunci di atas meja.	— Mother left the key on the table.
meminjam (pinjam)	— *to borrow*
Saya *meminjam* mesin tulis dari Sarti.	— I borrowed a typewriter from Sarti.
meminjamkan	— *to lend*
Seorang teman *meminjamkan* sepeda motor kepada saya.	— A friend lent me his motorbike.
mendengar (dengar)	— *to hear*
Kami *mendengar* di radio, bahwa Presiden akan berangkat ke Bangladesh.	— We heard on the radio, that the President will leave for Bangladesh.
mendengarkan	— *to hear with attention, to listen*
Kami duduk di dalam *mendengarkan* musik.	— We were sitting inside listening to the music.

3. *Ordinal numbers:*

Ordinal numbers are formed with the prefix *ke-* before the cardinal number.

first = *kesatu*, however, the word *pertama* is more usual.

hari pertama	— the first day
Kereta api pertama ke Surabaya.	— The first train to Surabaya.

second = *kedua*

Kami libur minggu ke-kedua bulan Juni.	— We have holidays on the second week of June.

third = *ketiga*

Dia mendapat hadiah ke-tiga.	— He won the 3rd prize.

4th, 5th, 10th, etc., = *keempat, kelima, kesepuluh dll.*

Kita hidup di abad ke-20	— We live in the 20th century.

For indicating *class* and *dates* we do *not* use the ordinal number.

1st class	— kelas 1
2nd class	— kelas 2
3rd class	— kelas 3
May, 1st	— tanggal 1 Mei
September, 3rd	— tanggal 3 September
July 15th	— tanggal 15 Juli.

D. VOCABULARY

tepat	— exactly
mendarat (darat)	— to land
berjemur	— to dry in the sun (to\sunbathe)
istirahat	— to rest, to relax

memberitahukan (beritahu)	— to inform
menginap	— to stay overnight
matahari terbenam	— sunset
pasir	— sand
menonton (tonton)	— to watch
pertunjukan	— show, performance
menyaksikan (saksi)	— to witness
rombongan	— group (of people)
pelukis	— painter
lukisan	— painting
kerajinan tangan	— handicraft
sebetulnya	— actually, in fact
bepergian	— to travel
terdapat	— to be found
jarak	— distance
mengagumi (kagum)	— to admire
terbit	— to rise (of the sun, moon)
pegunungan	— mountain areas
sumber	— source
menganggap (anggap)	— to consider, to deem
sakti	— sacred
mata air	— source
pantai	— beach, coast
kesenian	— arts
patung	— statue
mengukir (ukir)	— to carve
menikmati	— to enjoy
pemandangan	— landscape
gua	— cave
kuil (puri)	— temple
monyet	— monkey
terkenal	— known
khas	— specific

karya	— work
bebas	— free
mencapai (capai)	— to reach
rata	— smooth
adat-istiadat	— manners and customs
upacara	— ceremony
agama	— religion
tujuan	— destination, purpose
tangga	— stairs
siap	— ready
abad	— century
tanpa	— without

E. EXERCISES

1. **Translate:**

   1. Mobil-mobil bisa disewa untuk beberapa hari dengan membayar uang muka lebih dahulu.
   2. Rumah yang baru dibangun itu akan disewakan.
   3. Soal (case) itu akan dibicarakan dalam rapat direksi.
   4. Pada minggu pertama akan diadakan pesta besar untuk anak-anak.
   5. Siapa yang mendapat hadiah pertama untuk lukisan batik itu?
   6. Anak itu sudah beberapa bulan ditinggalkan ibunya, karena ia pergi ke kota mencari kerja.
   7. Sebuah gereja besar akan didirikan di jalan ini.
   8. Saya membaca di surat kabar, bahwa guru kami meninggal di rumah sakit.
   9. Tolong bangunkan saya, kalau Maiti datang.
   10. Maaf, Pak, kami tidak meminjamkan uang di sini.
   11. Kintamani terletak di kaki gunung dekat sebuah danau.
   12. Ukiran-ukiran ini dijual di toko-toko di tepi jalan.
   13. Siapa yang menjatuhkan tas saya dari meja?

14. Patung-patung itu bisa dibeli dari anak-anak yang datang ke pantai.
15. Dalam perjalanan kami melihat banyak pemandangan yang indah.

2. *Translate:*
    1. On the first day we went sightseeing, then we went for a swim to the beautiful beach.
    2. We took the second train to Solo and sat in the 3rd class.
    3. The hotel started to be built in the centre of the city on the 3rd of March 1932.
    4. I tried to wake him up several times, but it was difficult for him to get up, because he was very tired.
    5. Before leaving for Medan, he left a note with Miss Mona, his secretary.
    6. Every year the government builds schools and hospitals.
    7. I explained it to him in Indonesian, but he did not understand.
    8. He worked in Palembang (for) ten years, afterwards he was transferred to a small town in Lombok.
    9. We could not rent a house in Cisarua.
    10. His parents died in 1960, when he was studying in Australia.
    11. A big store will be built in Blok M.
    12. A friend lent me his camera.
    13. Could I borrow your bicycle, please?
    14. Throwing garbage is prohibited here.
    15. On the second week he was not sick any more.

3. *Choose the right words:*
    bangun – membangun – membangunkan
    1. Ketika saya . . . , saya lihat di luar masih gelap.
    2. Pelayan datang . . . , saya.

137

3. Jam 4.30 orang tua itu telah . . . dan pergi berjalan-jalan.
4. Orang akan . . . pabrik besar beberapa kilometer dari kota.
5. . . ., matahari sudah tinggi!

meminjam – dipinjam – meminjamkan
1. Di mana sepeda motor saya? Barangkali . . . oleh Sardi.
2. Anak itu hati-hati sekali dengan barangnya. Ia tidak mau . . . bukunya, karena ia takut akan hilang.
3. Boleh saya . . . mesin tulismu untuk beberapa hari?

menyewa – menyewakan – disewa
1. Di tiap kota kita bisa . . . mobil untuk dipakai beberapa hari.
2. Perusahaan itu . . . gedungnya untuk toko-toko.
3. Saya belum punya rumah. Oleh karena itu (therefore) saya . . . kamar saja. Kamar muka kami . . . seorang pegawai kantor Pusri.

tinggal – meninggal – meninggalkan
1. Ayah . . . kami, waktu adik-adik masih kecil.
2. Tidak lama sesudah itu, ia . . . dan kami . . . tanpa ayah.
3. Berapa orang . . . di rumah itu?

berbicara – membicarakan
1. Nyonya Parta lama . . . dengan tuan itu di telepon.
2. Kami tidak tahu, mungkin ia . . . rumah yang akan dibangun dekat rumah kami.
3. Orang itu . . . dalam Bahasa Indonesia dengan orang kampung itu, tetapi mereka tidak mengerti.

LESSON XXII

A. READING

JALAN RAYA BARU

Beberapa waktu yang lalu, kami membaca di surat kabar, bahwa Bapak Walikota akan memperlebar jalan di muka rumah kami. Memang, jalan itu sudah terlalu sempit untuk lalu-lintas. Kendaraan makin lama makin banyak, sehingga lalu lintas sering macet. Jalan itu juga terlalu rendah. Kalau hujan besar, sering terjadi banjir dekat jembatan. Beberapa kali orang datang memeriksa jalan itu.

"Jalan ini akan diperlebar dan diperkeras," kata Bapak Walikota.

Hari Selasa pekerjaan itu mulai. Untuk beberapa hari lalu lintas di muka rumah kami ditutup. Pohon-pohon di tepi jalan ditebang dan tiang-tiang listrik dipindahkan. Pekarangan rumah kami menjadi kecil. Tetapi tidak apa-apa. Kami melihat orang bekerja. Dua buah buldozer dipakai untuk mengangkat tanah.

Beratus-ratus pekerja bekerja di tempat itu. Sesudah satu bulan, semua jalan kecil juga dibetulkan. Jalan-jalan itu diperkeras dengan batu dan pasir, dan kemudian diaspal.

Sekarang semuanya sudah selesai. Lalu-lintas menjadi lancar. Juga dipasang lampu lalu-lintas di jalan yang baru itu.

B. TRANSLATION

A NEW MAIN ROAD

Some time ago we read in the newspaper that the Mayor would widen the street in front of our house. Indeed, the street has become too narrow for the traffic. The number of vehicles had increased, so that often there was a traffic-jam.

The road was also too low. In a heavy rain it was often flooded, near the bridge. Many times people came to examine it.

"The road will be widened and hardened," said the Mayor.

On Tuesday the work started. The traffic in front of our house was closed off for several days. The trees on the roadside were cut down and the electric poles were removed. The yards of the house have become smaller. But never mind. We see people working. The bulldozers were used to remove the earth.

Hundreds of workers were working at the place. After one month all the small streets were also repaired. The roads were hardened with stone and sand and afterwards asphalted.

Now everything is finished. The traffic has become smooth. There is also a traffic-light at the main road.

C. GRAMMAR AND IDIOMS

1. Verbs with the prefix *"memper-"*

   This prefix has actually the same function as the *suffix "-kan"* in Lesson XX.

It is usually put before an adjective and indicates *to improve* the state of things or signifies *to make more.*

memperpanjang	— to lenghthen, to extend
memperlebar	— to widen
memperbesar	— to enlarge
memperdalam	— to deepen
memperkaya	— to enrich
memperkecil	— to make smaller, to reduce
mempermudah	— to make easier

Similar to other transitive verbs the *memper-* verbs have also a *di - form.*

diperlebar — diperpanjang — diperbesar — diperdalam — diperkaya — diperkecil — dipermudah

2. The *memper-* verbs can also have the *suffix -kan,* derived from verbs, nouns and numerals.

memperkenalkan	— to make known,
(kenal)	to introduce
mempergunakan (guna)	— to make use of

memperlihatkan (lihat)	— to show
mempertunjukkan (tunjuk)	— to perform
memperhatikan (hati)	— to watch carefully, to pay attention to
mempersatukan (satu)	— to make one, to unite

3. The *memper-* verbs with the suffix *-i*

memperbaiki (membetulkan)	— to fix
memperingati	— to commemorate
mempelajari	— to study
memperbaharui	— to renew

4. *a.* *to have, to possess, to own* is expressed by the verb *punya* as mentioned in Lesson XI. However, it is also common to use the word *ada*.

Kami *ada* 3 ekor kucing, which has the same meaning as: Kami *punya* 3 ekor kucing.

Tuan Sadiman *ada* lemari es besar di kantor.	— Mr Sadiman has a big refrigerator in the office.
Rumah ini belum *ada* AC.	— This house has not yet an airconditioner.
Saya tidak *ada* uang sekarang.	— I haven't got money now.

b. the prefix *ber-* before a noun also denotes *to have.*

Lina belum *beranak.*	— Lina has no children yet.
Ati tidak *bersepatu.*	— Ati has no shoes on.
Rumah itu *beratap* merah.	— The house has a red roof.
Mereka tidak *beranak.*	— They have no children.
Ibu *berkacamata.*	— Mother has spectacles on.

D. VOCABULARY

jalan raya	— highway, main road
Walikota	— Mayor
sempit	— narrow
lalu-lintas	— traffic
kendaraan	— vehicle
makin . . . makin	— to get more and more
sehingga	— . . . , so that
macet	— jammed
rendah	— low
terjadi	— to happen
jembatan	— bridge
mulai	— to begin
menebang (tebang)	— to cut down
tiang	— pole
mutu	— quality
mengangkat (angkat)	— to remove, to lift
beratus-ratus	— hundreds
selesai	— finished, completed
kayu	— wood
lancar	— smooth, fluent
kedutaan	— embassy

E. EXERCISES

1. *Translate*

1. Our family photo is too small; I want to enlarge it.
2. Tomorrow I am going to the embassy to extend my visa.
3. Many students are sent abroad to perform national dances.
4. We made use of big machines to widen the road.
5. They watched carefully the way (-cara) the machine works.

6. All the roads and bridges will be repaired within one year.
7. All the offices raised the flag to commemorate the national day.
8. The pupils showed to us the pictures they have made.
9. Our bedroom has been enlarged, so that three persons can sleep there.
10. We sent for (-call) two workmen to deepen the fishpond.
11. After four months all the work is finished.
12. "Can you make this smaller?" he asked the tailor, while showing him the trousers he bought yesterday.

2. *Translate:*

1. Semua orang kampung datang untuk memperbaiki jembatan kayu itu.
2. Nyonya Smith memperkenalkan kami kepada tamu-tamu.
3. Kami ada satu alat baru untuk memperbesar foto.
4. Tuan Palmer senang tinggal di Indonesia; dia akan memperpanjang kontraknya dengan perusahaannya.
5. Jakarta akan memperingati ulang tahunnya yang ke-455.
6. Jalan baru ini akan mempermudah orang pulang pergi ke kota.
7. Ketika saya melihat kereta api datang, saya ambil kopor saya.
8. Kalau bisa, saya akan memperkecil kemeja ini.
9. Siapa wanita yang bercelana pendek itu?
10. Hari ini saya tidak ada waktu, datanglah besok.
11. Sampai sekarang Yono belum beristri.
12. Jangan coba mempersukar hal itu!
13. Kamar tidur ibu kita akan diperbesar.

14. Pabrik itu memakai bermacam-macam sistem untuk memperbaiki mutu barangnya.
15. Saya akan memperlihatkan kepada tamu-tamu piano yang baru saya beli.

A. READING

KESEHATAN KITA

Di negeri-negeri panas seperti Indonesia, kita mandi paling se-
dikit dua kali sehari. Kita mencuci muka, badan, kaki, tangan,
kepala dan rambut dengan sabun. Tiap pagi dan malam sebe-
lum tidur kita mencuci mulut dan menyikat gigi. Jangan lupa
untuk pergi ke dokter gigi dua kali setahun untuk memeriksa
gigi.

Kalau sakit, kita pergi ke dokter untuk memeriksa badan.
Pegawai-pegawai kantor juga diperiksa kesehatannya. Hidung,
telinga, dada, perut dan jantung, semua diperiksa.

Obat bisa dibeli di apotek. Obat-obat ini dibuat di pabrik,
tetapi ada juga yang datang dari Luar Negeri. Harganya biasa-
nya mahal.

Di tiap kota ada rumah sakit. Di mana ada universitas, ada
rumah sakit besar untuk umum.

Di kampung-kampung (desa-desa) rakyat belajar memper-gunakan air bersih dan makanan yang sehat.

B. TRANSLATION

OUR HEALTH

In hot countries like Indonesia we take a bath twice a day at least. We wash our face, body, feet, head and hair with soap. Every morning and in the evening before going to bed we wash our mouth and brush our teeth. Don't forget to go to the dentist twice a year to check your teeth.

If we are ill, we go to the doctor to have a medical checkup. The office-staff has also a health examination. The nose, the ears, the chest, the stomach and heart, everything is examined.

Medicine can be bought at the chemist's. These medicines are made in factories, however, there are also those that come from abroad. The price is generally high.

In every town there is a hospital. Where there is a university there is a large hospital for the public.

In the villages the people learn to use clean water and healthy food.

C. GRAMMAR AND IDIOMS

1. *Formation of words.*

   Nouns derived from adjectives by the prefix *ke-* and the suffix *-an.*

   In Lesson XVI we have seen the formation of nouns, derived from verbs by putting the ending *-an*, like: *makanan, minuman, tulisan,* etc.

   a. We have also nouns — in general abstract nouns — derived from adjectives by adding the prefix *ke-* and the suffix *-an.*

   kuat   — strong   kekuatan   — strength

sehat	— healthy	kesehatan	— health
bersih	— clean	kebersihan	— cleanliness
cantik	— beautiful	kecantikan	— beauty
baik	— good, kind	kebaikan	— goodness, kindness
miskin	— poor	kemiskinan	— poverty
merdeka	— free, independent	kemerdekaan	— freedom, independence
celaka	— unlucky	kecelakaan	— accident, misfortune

b. The prefix *pe-* indicates the *performer* of the action expressed by the root verb (with or without a nasal sound)

bantu	— to help, to assist	pembantu	— helper, assistant, servant
kerja	— to work	pekerja	— worker
layan	— to serve	pelayan	— waiter
curi	— to steal	pencuri	— thief
main	— to play	pemain	— player
baca	— to read	pembaca	— reader
tulis	— to write	penulis	— writer
lukis	— to paint (a picture)	pelukis	— painter
dagang	— to trade	pedagang	— trader, merchant
nyanyi	— to sing	penyanyi	— singer

c. The prefix *pe-* before an adjective denotes a person having the habit (quality) expressed in the adjective.

malas	— lazy	pemalas	— lazy head
muda	— young	pemuda	— youth
besar	— big	pembesar	— high official
jahat	— evil, wicked	penjahat	— criminal

148

2. *a.* The conjunction word ... *that* – ... , bahwa

Kami tidak tahu *bahwa* — We did not know that his
ibunya sudah meninggal mother had died.

Bilang kepada Tuti *bah-* — Tell Tuti that I don't come
wa saya tidak pulang ma- home for lunch.
kan siang.

b. The conjunction word *although* = *meskipun, biarpun.*

Meskipun hujan terus, — Although it kept raining,
kami berenang ke pulau we swam to the island.
itu.

Dia membuang sampah — He threw away thrash on
di jalan, *biarpun* dilarang. the road, although it was
forbidden.

c. The conjuction word *in order to (so that)* = *supaya.*

Tulislah kepada ibumu, — Write to your mother so
supaya dia tahu. that she knew.

Saya harap, *supaya* sau- — I hope that you leave soon.
dara segera berangkat.

D. VOCABULARY

kesehatan	– health	mulut	– mouth
paling se- dikit	– at least	gigi	– tooth
		dokter gigi	– dentist
muka	– face	telinga	– ear
badan	– body	dada	– chest
tangan	– hand	perut	– stomach
kaki	– leg, foot	Luar Negri	– abroad, for-
hidung	– nose		eign country
jantung	– heart	umum	– public
kepala	– head	rakyat	– people
rambut	– hair	menyikat (sikat)	– to brush

E. EXERCISES

1. *Translate:*

1. I knew Mariati, the writer of a well-known novel.
2. She worked at a beauty-salon before.
3. On Independence-Day everybody raises the flags.
4. The large bridge over the Musi river was built with foreign aid.
5. Before entering the city we saw a sign: "Watch for cleanliness!"
6. In the newspaper there is a special (-khusus) column (-kolom). "Letters from the readers".
7. BBC has a special hour for listeners in Indonesia.
8. All the tennis-players arrived at the airport on the first plane.
9. When Mr Rashid died, he left all his riches to his son.
10. Before going to bed, the children wash their hands and feet.
11. Although there is poverty among the village people, we notice that they are happy.
12. I thank you very much for (-atas) your kindness.

2. *Translate:*

1. Kami memanggil pelayan minta makanan dan minuman untuk lima orang tamu.
2. Lama kami berdiri di dekat sungai itu melihat keindahan alam (nature).
3. Karena ia seorang pemalas dan tidak suka bekerja, ia tidak mau meninggalkan kampungnya.
4. Kalau saya tidak memakai kacamata, saya tidak bisa membaca tulisan Anda.
5. Untuk parkir mobil mereka minta bayaran yang terlalu mahal.
6. Saya minta pegawai itu supaya menelepon ibu untuk memberitahukan bahwa ayah ada di rumah sakit.

7. Pencuri itu sudah dibawa ke kantor polisi yang terde-
kat.
8. Anak laki-lakinya yang paling tua ingin sekali menjadi
penerbang.
9. Meskipun kami sudah dua kali melihat film itu, kami
masih mau melihatnya sekali lagi.
10. Seorang penjual obat berteriak-teriak (-shout) memang-
gil pembeli.
11. Sudah lebih dari satu bulan kami mencari penjaga un-
tuk rumah kami.
12. Saya melihat banyak lukisan yang bagus di Pasar Seni
Ancol.
13. Ibu mencari bacaan untuk anak-anak di toko buku.
14. Pembantu membangunkan Evi, supaya ia tidak terlam-
bat sampai di kantor.
15. Beberapa penyayi dari Luar Negeri datang ke festival
musik itu.

LESSON XXIV

A. READING

PERGI BERLIBUR

Kalau kita bekerja di kota, sekali-sekali kita perlu istirahat. Apa lagi di musim panas. Kita pergi berlibur ke luar kota, ke tempat-tempat yang sejuk di daerah pegunungan. Kita tidak saja beristirahat, tetapi bersama keluarga, kita bisa pula menikmati keindahan alam.

Bukan itu saja. Sebagai orang asing kita perlu pula mengenal adat-istiadat, kebudayaan dan kehidupan orang Indonesia. Kalau kita tinggal di Jakarta, pada hari Minggu kita bisa ke Bogor, di mana ada Kebun Raya, yang sudah berdiri lebih dari seratus tahun atau satu abad. Dalam kebun yang sangat besar itu, kita bisa melihat bermacam-macam pohon dan tanam-tanaman. Di sana terdapat koleksi tanaman yang luar biasa.

Kebun Raya, terletak di belakang Istana, dahulu tempat tinggal Gubernur-Jenderal Hindia-Belanda dan kemudian menjadi Istana Presiden Soekarno.

Dari Bogor perjalanan bisa diteruskan ke Puncak, 90 km dari Jakarta. Puncak berarti "top", tingginya 1250 m dari laut.

Sebelum sampai di Puncak, kita mampir di Cibodas. Cibodas terletak di lereng Gunung Gede, adalah sebuah kebun besar, di mana ada 245 jenis burung yang terdapat di Pulau Jawa. Juga terdapat di sana bermacam-macam jenis binatang, seperi anjing hutan, babi hutan, dsb. Tentu saja terdapat pula banyak sekali bunga-bunga yang indah.

Dalam perjalanan ke Puncak kita lewat perkebunan teh yang hijau warnanya. Di kiri dan kanan jalan terlihat banyak rumah-rumah bagus, yang disebut bungalow-bungalow. Kita bisa menginap di hotel atau kita bisa menyewa rumah untuk beberapa malam. Juga terdapat banyak restoran, ada

yang murah dengan fasilitas yang cukup. Kalau Anda mendapat cuti panjang, Anda bisa menyetir mobil ke Jawa-Tengah dan Jawa-Timur. Anda bisa berkunjung ke Borobudur atau naik Gunung Bromo, yang terkenal karena kawahnya yang indah.

Tetapi, kalau Anda lebih suka tinggal di Jawa-Barat, Anda pergi saja ke Pelabuhan Ratu atau ke Pangandaran, di Pantai Selatan. Di tepi pantai Anda bisa memasang kemah dan menikmati matahari terbit di waktu fajar.

Kalau Anda lebih suka beristirahat di tepi laut, kami anjurkan Anda untuk pergi ke Pantai Carita, 200 km di sebelah barat Jakarta. Di sana tersedia hotel dan "cottage". Rumputnya hijau dan pasirnya putih bersih.

Di pulau-pulau lain juga terdapat obyek-obyek pariwisata. Misalnya di Sumatra-Utara terdapat Danau Toba, dengan pemandangan yang mengingatkan kita kepada Switzerland di musim panas.

Kalau Anda pergi ke Sumatra-Barat, Anda akan melihat "Ngarai" yang tak kalah indahnya daripada "Grand Canyon" di Amerika. Juga terdapat danau-danau dengan airnya yang tenang.

Kalau Anda punya cukup uang dan banyak waktu, Anda bisa pula berlibur ke Sulawesi-Selatan melihat adat-istiadat penduduk di sana. Atau Anda terus ke Irian-Jaya.

B. TRANSLATION

ON HOLIDAY

If we work ini the city, once in a while we need to relax. Especially in the hot season. We go on vacation outside the city, to cool places in the mountains. We not only relax, but together with the family, we can enjoy the beautiful landscape.

Not only that. As foreigners we also need to know the customs, the culture and the way of life of the Indonesian people. If we live in Jakarta, we can go to Bogor on a Sunday, where there is a Botanical Garden (Kebun Raya), that has existed for more than a hundred year or one century. In the very extensive garden, we can see various trees and plants. There is an extraordinary large collection of plants.

The Botanical Garden, is located behind the Palace, formerly the residence of the Dutch-Indies Governor-General and later on became President Soekarno's palace.

From Bogor the trip can be continued to Puncak, 90 km from Jakarta. Puncak means "top", is 1250 m above sea-level.

Before getting to Puncak we stop at Cibodas. Cibodas, located on the slope of Gunung Gedeh, is a large garden, where there are 245 species of birds to be found in Java. There is also a variety of animal species, like wild dogs, wild pigs, etc, etc. Of course we also find beautiful flowers there.

On the way to Puncak we pass by green-coloured tea-plantations. To the left and right of the road we see beautiful houses, called bungalows. We can stay the night in a hotel or we can rent a house for a few nights. There are also restaurants, cheap ones with sufficient facilities. If you have a long leave, you can drive a car to Central-Java and East-Java. You can visit the Borobudur or climb the Bromo mountain, famous for its wonderful crater.

If you prefer to stay in West-Java, you go to Pelabuhan Ratu or Pangandaran on the south coast. You can go camping and enjoy the sunrise at dawn.

If you prefer to have a recreation on the seaside, we recommend you to go to Carita-Beach, approx. 200 km west of Jakarta. There are hotels and cottages. The grass is green and the sand is clear white.

In the other islands there are also lots of tourist objects. For example in North-Sumatera is Lake Toba, with a scenery that reminds us of Switzerland in summer time.

If you go to West-Sumatera, you can see the "Ngarai", which is not any less beautiful than the Grand Canyon in America. There are also lakes with their calm water.

If you have enough money and ample time, you can go on vacation to South-Sulawesi, observing the local tradition there. Or you can procede to Irian-Java.

C. GRAMMAR AND IDIOMS

1. The prefix *ter-*

   a. connected to *the rootverb,* to express the *state* of things as a result of a complete action.

   terbuka

   | Saya melihat semua pintu dan jendela *terbuka*. | — I saw all doors and windows opened (open). |

   tertutup

   | Semua jalan ke rumah kami *tertutup*. | — All the roads to our house were closed. |

155

tertulis

Namanya *tertulis* di buku itu.	— His name was written in the book.

terkenal

Kebun Raya *terkenal* di mana-mana.	— The Botanical Garden is known everywhere.

tersebut

Semua barang yang *tersebut* di bawah ini.	— All the items mentioned below.
Yang *tersebut* di atas ini	— Above mentioned.

b. connected to a rootverb, indicating *possibility*.

terdapat = can be found

Di kebun itu *terdapat* bermacam-macam bunga.	— In the garden you can find various flowers.

terlihat = can be seen

Di kiri dan kanan jalan *terlihat* banyak rumah yang bagus.	— On the left and right of the road we can see many beautiful houses.

c. connected to a rootverb occurs in some emotional expressions.

tertawa	— to laugh
tersenyum	— to smile
terkejut	— to be alarmed

d. connected to an *adjective* to denote the *superlative*.

yang termahal	— the most expensive
yang terbaik	— the best
yang terbesar	— the biggest
yang terbanyak	— the most
yang tertua	— the oldest

156

In the daily speech we tend to use the word *paling* instead.

paling mahal; paling baik; paling besar; paling banyak; paling tua (see Lesson XVII c.)

2. *di mana-mana, ke mana-mana* — everywhere, anywhere

Tempat seperti ini ada *di mana-mana.* — Places like this are everywhere.

Noni sudah pergi *kemana-mana.* — Noni has been everywhere.

Hari Minggu ini kami tidak pergi *ke mana-mana.* — This Sunday we did not go anywhere.

3. *percaya* = to believe
   percaya pada = to trust

Saya percaya, dia akan bekerja baik. — I believe, he will work well.

Mereka tidak percaya aku baru kembali dari Tokyo. — They do not believe, I just came back from Tokyo.

Kamu pikir saya percaya pada orang itu? — Do you think I trust that man?

4. *perlu* = to need

Kami perlu dua orang pembantu. — We need two servants.

Kamu tidak perlu datang besok. — You need not come tomorrow.

Ini tidak perlu! — This is not necessary!

157

D. VOCABULARY

libur	— holiday, vacation
cuti	— on leave
istirahat	— rest, recreation
pegunungan	— mountain area
gunung	— mountain
alam	— nature
sekali-sekali	— once in a while
musim	— season, monsoon
mampir	— to stop by
menikmati	— to enjoy
menjadi	— to become
menyetir (setir)	— to drive a car
berkunjung	— to visit
pariwisata	— tourism
wisatawan	— tourist
hawa	— climate
apa lagi	— furthermore, especially
sebagai	— as, in the quality of
adat-istiadat	— custom, tradition
kebudayaan	— culture
kehidupan	— (way of) life
tanaman	— plant
istana	— palace
perjalanan	— trip
jenis	— specie, type, kind
burung	— bird
perkebunan	— plantation
sawah	— ricefield
kemah	— camping, tent
fajar	— dawn
lereng	— slope

158

E. EXERCISES

1. *Translate:*

1. When I came to my friend's house, I saw all the doors and windows closed. But the car in front of the house was not locked.
2. Some areas in Sumatra are well-known for (-karena) their cool climate and their beautiful sceneries.
3. My name is not written in the list (-daftar) of new students.
4. Do you know the tallest building in Jakarta?
5. This is the most expensive refrigerator, but I do not know whether (-apakah) it is the best.
6. Please read what is mentioned in the book you have just bought.
7. Do you believe that he will come soon?
8. Although I have a lot of time, I don't go anywhere.
9. We can buy petrol everywhere.
10. We see everywhere birds eating rice in the ricefields.
11. If you want to go on holidays, you'd better go in May after the rainy season.
12. I need time and money to fix my airconditioner.
13. How can I trust that man whom I met for the first time.

2. *Translate:*

1. Beberapa hari kami beristirahat dekat danau itu. Kami melihat burung-burung terbang.
2. Sekali-sekali kami naik gunung atau berenang di air yang biru.
3. Saya tidak saja ingin belajar bahasa Indonesia, tetapi juga ingin tahu tentang kebudayaan negeri itu.
4. Dari jauh terlihat pesawat terbang, yang datang dari Singapura.

5. Tidakkah Anda melihat apa yang tertulis di muka kantor itu?
6. Saya terkejut melihat jendela kamar depan terbuka.
7. Kalau kita pergi ke Taman Mini Indonesia Indah, kita akan melihat bermacam-macam jenis burung yang terdapat di Indonesia.
8. Abad ke-20 terkenal juga sebagai abad nuklir.
9. Saya sering melihat nyonya itu membeli tanaman untuk kebunnya.
10. Hampir satu jam lamanya kami duduk menikmati keindahan alam di perkebunan teh itu.
11. Dokter menerangkan, bahwa ia terlalu banyak bekerja dan harus beristirahat beberapa hari.
12. Saya tidak tahu, apakah meja itu terbuat dari kayu atau plastik.
13. Anak laki-lakinya yang tertua sekarang belajar di Australia.
14. Inilah sepatu yang terkuat dan termurah.

A. READING

OLAHRAGA

Kalau kita bangun pagi-pagi, kita banyak melihat orang berlari-lari di jalan. Pria dan wanita, besar kecil. Mereka melakukan olahraga. Berjalan-jalan atau berlari-lari pada pagi hari ialah olahraga yang termurah.

Banyak orang tahu, bahwa olahraga penting sekali untuk kesehatan kita. Kebanyakan orang terlalu sibuk di kantor, sehingga kurang bergerak. Sehari-harian duduk di kursi menjemukan, juga duduk di mobil pulang pergi ke kantor. Di rumah kita duduk lagi membaca surat kabar atau menonton TV. Hal ini tidak baik untuk badan kita. Kita harus meluangkan waktu untuk berolahraga, seperti main tennis, main bola, main badminton atau main golf, dua kali seminggu paling sedikit. Berenang juga baik sekali untuk kesehatan kita.

Tidak semua orang punya cukup uang untuk membeli alat-alat olahraga. Mereka lebih baik memilih olahraga berjalan atau

berlari. Olahraga ini tidak memerlukan biaya. Bisa dilakukan pakai sepatu atau tanpa sepatu.

Waktu yang paling baik untuk sport ini ialah pada pagi hari, pada pukul 5 atau sebelum pukul 6, kalau udara masih segar dan lalu-lintas belum ramai. Berjalan-jalan atau berlari-lari selama 45 menit sudah cukup, sebelum kita pergi ke kantor. Ada baiknya, kalau sekali-sekali kita minta nasehat dokter, untuk mengetahui keadaan jantung kita.

Sering organisasi-organisasi pria dan wanita mengadakan gerak jalan.

B. TRANSLATION

SPORTS

If we wake up very early in the morning, we see many people running in the streets. Men and women, big and small. They are doing exercises. Walking or running (jogging) in the morning is the cheapest way to exercise.

Many people know that sports are very important for our health. Most people are very busy at the office, so that they do not move very much. Sitting all day long on a chair is tiring, sitting in the car while going home too. At home we sit again reading the paper or watching the TV. This is not good for our body. We must make time for sports, like tennis, soccer, badminton or golf, twice a week at least. Swimming is also very good for our health.

Not everybody has enough money to buy sports equipment. They had better choose walking or jogging exercises. This kind of sport does not require any expense. It can be done with shoes on or without.

The best time for this kind of sports is in the morning, at 5 or before 6, when the air is still fresh and the traffic is not heavy. It is good, if you ask the doctor's advice at times to know your heart's condition.

Men's and women's organizations often organize long marches.

C. GRAMMAR AND IDIOMS

1. *Duplication*. In the above reading we see a lot of doubling of verbs.

e.g. *berlari-lari, berjalan-jalan*

Duplication occurs very much in Indonesian, not only of verbs, but also of nouns and adjectives.

a. The doubling in *berjalan-jalan, berlari-lari* denotes frequency. This is also illustrated in the following sentences:

Keluarga Tato sering masuk restoran untuk *makan-makan* dan *minum-minum*. — The Tato's often go to restaurants to eat and drink.

Ali sudah lama tidak *datang-datang* ke rumah kami. — Ali has not come to our house for a long time.

Saya tidak membeli apa-apa; saya *melihat-lihat* saja. — I do not buy anything; I just look around.

b. Duplication also indicates doing things *at leisure:*

Hari Minggu saya tidak pergi ke mana-mana; saya tinggal di rumah *membaca-baca*. — I do not go anywhere on Sunday; I just stay at home *browsing* (reading here and there).

Ibu pergi (*ber*)*jalan-jalan*. — Mother is going for a walk.

Saya senang melihat anak-anak *bermain-main*. — I like seeing the children play around.

c. Duplication of *nouns*, denotes *plurality* and *variety*.

rumah-rumah — houses
bunga-bunga — flowers
anak-anak — children

163

The nouns are not doubled, however, if preceded by a numeral or the words: *semua, sekalian, banyak, sedikit, seluruh* (whole).

tiga (buah) rumah
dua (orang) anak
lima (ekor) anjing
semua kamar
banyak orang
sedikit kursi
seluruh kota

d. *Adjectives* can also be doubled to indicate plurality:

Next to   :   rumah-rumah besar
                pakaian-pakaian bagus
                ikan-ikan kecil

we have   :   rumah besar-besar
                pakaian bagus-bagus
                ikan kecil-kecil

e. Adjectives used as adverbs are also doubled to express *intensity:*

Jangan berjalan *cepat-cepat*   — Don't walk fast!

Bicaralah *pelan-pelan*   — Speak slowly, please!

Kami bangun *pagi-pagi*   — We wake up *very early.*

2. The conjuction word *"sehingga"* in the sense of *so that* (with the result)

Mereka bekerja terlalu keras, *sehingga* mereka lupa makan.	— They work too hard, so that they forget to eat.
Yatim bangun jam 7, *sehingga* ia terlambat datang di kantor.	— Yatim got up at 7, so that he came late at the office.

D. VOCABULARY

olahraga	sport, exercises
senam	– gymnastics
kebanyakan	– most
melakukan	– to perform, to do
sibuk	– busy
sehari-harian	– all day long
meluangkan waktu	– to make time
main bola	– to play soccer
segar	– fresh
gerak jalan	– walking race, long march
bergerak	– to move
menjemukan	– tiring
memilih (pilih)	– to choose, to elect, to select
memerlukan	– to require
biaya	– expenses

E. EXERCISES

1. *Translate:*

1. "Can I help you?" – "No, thank you, I'm just looking around."
2. Today I have nothing to do (I don't have work), I will just sit and read magazines.
3. "Don't be long, Tati!" – "No, mother, I'm just playing around.
4. I want to get up early this time, in order not to be late at the bus terminal.
5. Keep the fruits in a cool place, so that they will stay fresh.
6. I see the old man running every morning in the park.
7. Come on, let us take a walk to see the children playing.
8. I choose the best flowers for my sitting-room.
9. The car was late, so that I had to walk to the post-office.

165

10. Sport is important for our body.
11. We relaxed for a few minutes, before we started the trip.
12. The most expensive watches are in the big shops.
13. His name is written on white paper, so that you can read it.

2. *Translate:*

1. Selama satu jam kami duduk-duduk di bawah pohon dan menunggu sampai matahari tidak terlihat lagi.
2. Dengan ayah dan ibu kami pergi ke restoran yang terkenal untuk makan-makan, karena hari itu adalah hari ulang tahun ibu.
3. Pak Tardi telah pergi ke mana-mana mencari obat untuk anaknya yang sudah beberapa bulan sakit.
4. Tiap hari Senin sore kami mengadakan olahraga lari di luar kota.
5. Datanglah seperempat jam lebih dahulu, supaya engkau dapat melihat pesawat terbang mendarat (to land).
6. Semua lukisan terjual dengan mahal.
7. Ibu Suti tersenyum melihat anaknya bermain di kebun.
8. Pabrik tekstil ini sudah lama terkenal.
9. Ia sibuk membersihkan lemari, sehingga ia tidak mendengar tamu datang.
10. Adik saya, Nita, tidak percaya, bahwa ayah sudah kembali dari Tokyo.
11. Saya membaca di surat kabar, bahwa Hotel Mandarin, hotel terbagus di kota ini.
12. Saya tidak membeli apa-apa. Saya pergi ke Pasar Baru untuk melihat-lihat saja.
13. Lebih mudah menunggu taksi di sini.
14. Saya tidak bisa keluar, karena semua pintu terkunci.

A. READING

SOAL YANG SULIT

Pak Karso, seorang tua berumur 82 tahun, dalam perjalanan ke Yogyakarta. Ia naik kereta api. Ia berpakaian bagus. Di tangannya ada sebuah tas baru. Karena hari itu panas sekali, ia tertidur di kursinya.

Tidak lama kemudian kondektur datang memeriksa karcis. Ketika kondektur itu melihat Pak Karso sedang tidur, pelanpelan ia membangunkannya. Dengan sopan ia meminta karcis Pak Karso.

Orang tua itu memeriksa semua kantongnya. Dikeluarkannya semua yang ada dalam kantongnya, uang, kunci, saputangan, sisir dan lain-lain. Namun, karcis itu tidak ada.

Ia amat gelisah. "Tadi saya ada karcis," katanya. "Saya tahu betul, saya membeli karcis sebelum saya naik kereta api."

"Nah, baiklah," jawab kondektur itu, "tidak apa-apa, Pak. Masih banyak waktu."

Orang tua itu membuka tasnya, dikeluarkannya semua pakaiannya, sepatunya dan sabunnya, tetapi karcisnya masih tidak kelihatan. Ia makin gelisah.

"Mungkin karcis Bapak hilang," kata kondektur. "Tetapi tidak apa-apa. Saya percaya. Orang seperti Bapak tidak akan menipu."

"Ya, tetapi aku susah," kata orang tua itu.

"Ah, jangan pikirkan lagi."

"Tetapi Saudara tidak mengerti. Kalau tidak ada karcis, bagaimana aku tahu di mana aku mesti turun!"

B. TRANSLATION

A DIFFICULT PROBLEM

Pak Karso, an old man of 82 years, was on his way to Yogyakarta. He was well-dressed. In his hand was a new handbag. As it was very hot, he fell asleep in his chair.

Not long afterwards the conductor came to examine the tickets. When the conductor saw that Pak Karso was sleeping, he carefully woke him up. Politely he asked for his ticket.

The old man checked all his pockets. He took out everything that was in his pockets, money, keys, a handkerchief, a comb and other things. However, his ticket was not there.

He got worried. "I had a ticket," he said. "I know for sure, I bought a ticket before getting into the train."

"Well, allright then," answered the conductor. "Don't bother, Sir. We still have a lot of time."

The old man opened his handbag, took out all his clothes, his shoes and his soap, but still be could not see the ticket. He got more worried.

"You might have lost your ticket," said the conductor.
"But don't worry. I trust you. A man like you won't cheat."

"Allright, but I am worried," said the old man.

"Oh, don't think about it any more."

"But you do not understand. If I haven't got my ticket, how could I know, where to get off the train!"

C. GRAMMAR AND IDIOMS

Typical Indonesian is the forming of word through affixes, as we have seen in the previous lessons. There are mostly:

a. abstract nouns, *derived* from *verbs* by putting the affixes *pe-... -an*, where necessary nasalized.

pembelian	– purchase;		
	derived from	*membeli*	– to buy
pembacaan	– reading;		
	derived from	*membaca*	– to read
penjualan	– sale;		
	derived from	*menjual*	– to sell
pembayaran	– payment;		
	derived from	*membayar*	– to pay
pembukaan	– opening;		
	derived from	*membuka*	– to open
penutupan	– clossing;		
	derived from	*menutup*	– to close

b. *per-... -an* derived from *"ber-"* verbs.

perkataan	– word;		
	derived from	*berkata*	– to say
pertanyaan	– question;		
	derived from	*bertanya* (a question)	– to ask

169

| *perjalanan* | – trip, journey; | | |
| | derived from | *berjalan* | – to walk |

| *pertemuan* | – meeting; | | |
| | derived from | *bertemu* | – to meet |

| *pekerjaan* | – work (occupation); | | |
| | derived from | *bekerja* | – to work |

| *pelajaran* | – lesson; | | |
| | derived from | *belajar* | – to learn, to study |

| *pembicaran* | – talk, discussion; | | |
| | derived from | *berbicara* | – to talk |

| *perkawinan* | – marriage; | | |
| | derived from | *kawin* | – to marry |

c. *pe- . . . . -an* derived from *adjectives with and without nasalisation.*

| *pembersihan* | – cleaning; | | |
| | derived from | *bersih* | – clean |

| *penerangan* | – lighting – information | | |
| | from *terang* = clear, light. | | |

d. In lesson XXIII, we dealt with *adjectives* derived from *nouns* by putting the affixes *ke- . . . -an.*

bersih	– clean	*kebersihan*	– cleanliness
cantik	– beautiful	*kecantikan*	– beauty
celaka	– unlucky	*kecelakaan*	– accident
untung	– luck	*keuntungan*	– profit, advantage

e. *ke- . . . -an* derived from nouns.

| *duta* | – ambassador, envoy | *kedutaan* | – embassy |

170

raja	— king	*kerajaan*	— kingdom
menteri	— minister	*kementerian*	— ministry
uang	— money	*keuangan*	— finance

f. *ke- . . . -an* denotes also possibility.

kelihatan	— can be seen, visible
kedengaran	— can be heard

g. *ke- . . . -an* has more or less the meaning of *to be caught, overtaken by, struck by*.

kehujanan	— caught in the rain, struck by the rain
kelaparan	— struck by hunger
kedinginan	— struck by the cold
kecelakaan	— accident

h. *para* | — a word indicating plurality
para mahasiswa	— the students
para penumpang	— the passangers
para menteri	— the ministers

D. VOCABULARY

sopan	— polite
kantong	— pocket, sack
sisir	— comb
gelisah	— worried
saputangan	— handkerchief
menipu (tipu)	— to cheat
kondektur	— conductor
namun	— however
siaran	— broadcast

E. EXERCISES

1. *Translate:*

1. Last night, at 9 o'clock, I saw a motor-accident near the traffic-light in front of the Korean Embassy.

171

2. We 'll have a meeting with the wives of our employees to night.
3. I write down all the questions.
4. The President arrived at Medan for the opening of the aluminium-factory.
5. The Ministry of Finance is on Lapangan Banteng.
6. When there is no work, I go to the cafetaria to have a drink with friends.
7. In the bookstore I see cassettes with lessons in German.
8. Mr Linsey had (—mengadakan) a talk with the head of the sales department (—bagian).
9. Where is a beauty salon here?
10. Thailand is a kingdom, but Singapore is a republic.
11. On the way to the police-station we were caught in the rain.
12. I do not know, how much I have to pay for the Indonesian lessons.
13. There are so many accidents on the way to Prapat especially on Sundays.
14. If there is no question, let's go on with the lesson.
15. At (—pada) the closing of the broadcast we hear children singing: Auld Lang Syne

2. *Translate:*
1. Dalam perjalanan saya ke Manila, saya bertemu dengan teman lama, yang bekerja di perusahaan minyak.
2. Ada lagi kecelakaan lalu lintas di dekat pasar.
3. Menteri Perindustrian berbicara dengan orang kampung pada pembukaan pabrik kertas di kampung itu.
4. Pembayaran pertama adalah dalam bulan Oktober yang akan datang.
5. Besok akan diadakan penjualan buku-buku di kampus universitas.
6. Akan diadakan pembicaraan dengan para mahasiswa.

172

7. Pesawat udara itu jatuh, ketika mengadakan pendaratan di lapangan udara baru itu.

8. Saya pikir, Saudara harus pergi ke kedutaan untuk mendapat paspor baru.

9. Di depan pintu masuk taman itu tertulis "Jagalah kebersihan".

10. Toko itu menjual alat-alat kecantikan dari Luar Negeri.

11. Menteri Perhubungan mengadakan perjalanan ke sebuah pulau di Riau.

12. Beberapa hari mereka tidak kelihatan di kantor.

13. Mereka kedinginan dan kelaparan, oleh karena itu kami kasi mereka makan.

14. Pertanyaan itu segera dijawab oleh guru.

15. Saya kagum (fascinated) melihat keindahan alam sekeliling Danau Maninjau.

A. READING

TIGA ORANG AUSTRALIA DISEMBUNYIKAN
OLEH SEORANG ANAK

Pada tanggal 22 Februari 1942 tentara Jepang menduduki kota Kupang di Timor. Semua serdadu Belanda menanggalkan baju seragamnya dan membuang senjatanya. Tentara Australia diperintahkan untuk menyerah. Hanya di desa Baubau dan Quesco mereka masih terus bertempur melawan pasukan Jepang.

Beberapa serdadu Australia sanggup melarikan diri dengan kapal selam, tetapi banyak sekali yang ditawan. Tiga orang serdadu tidak bisa melarikan diri. Mereka tidak ditawan, karena ditolong oleh seorang anak kecil.

Meskipun masih duduk di kelas I Sekolah Dasar, anak itu mengetahui, bahwa serdadu-serdadu Australia itu dalam bahaya dan perlu bersembunyi. Kebetulan ia tahu sebuah

sumur kering, yang punya lobang besar di dalamnya. Letaknya di sebelah barat kota Kupang. Sumur itu terletak kira-kira 25 meter dari kandang kambing ayahnya dan hanya kurang 100 meter dari seteleng meriam tentara Jepang.

Diam-diam anak itu mengajak ketiga orang itu ke sumur itu. Karena anak itu pintar, ia berhasil menjadi pembantu serdadu-serdadu itu.

Kalau Yosi pulang sekolah jam 4 sore, ia pergi mengumpulkan sisa-sisa makanan serdadu Jepang. Makanan itu tidak dimakannya sendiri, tetapi diberikannya kepada teman-temannya, orang Australia itu. Hal ini dikerjakannya tiap hari, sampai tentara Sekutu mendarat di Kupang pada tanggal 3 September 1945.

Pada tanggal 9 September Yosi menyetop jeep Sekutu yang sedang patroli. Dia mengacungkan tiga jarinya. "Australia tiga," teriaknya. Lalu tentara itu dibawanya ke sumur. Ia sendiri masuk sumur itu lebih dahulu. Ia kembali membawa tiga orang makhluk, putih seperti kertas. Mata ketiga orang itu tidak bisa melihat cahaya matahari, karena selama itu mereka hanya berani keluar diwaktu malam.

Tentara Sekutu itu mengajak Yosi naik kapal dan Yosi membawa mereka ke rumah orang tuanya. Tentu saja orang tuanya heran, karena selama itu mereka tak tahu Yosi memegang rahasia.

Kabar kemudian menceritakan, bahwa Yosi dibawa ke Australia. Pemerintah Australia sangat berterima kasih dan ia disekolahkan di negeri itu.

B. TRANSLATION

THREE AUSTRALIANS HIDDEN
BY A BOY

On the 22nd of February 1942 the Japanese army occupied Kupang in Timor. All Dutch soldiers took off their uniforms and threw away their weapons. The Australian army was ordered to surrender. Only in the villages Baubau and Quesco they kept fighting against the Japanese paratroops.

Some Australian soldiers were able to escape by submarine. A great number, however, were taken prisoner. Three soldiers could not escape. They were not captured, because they were saved by a little boy.

Though the boy was still in the first grade of the Elementary School, he realized that the Aussies were in danger and in need of a hiding place. Incidentally he knew a dry well with a big hole in it. It was on the west side of Kupang. The well was located about 25 meters from his father's goathouse and only some 100 meters from the Japanese guns.

Secretly the boy took the three to the well. As he was a smart boy he managed to become a helper to the soldiers.

When Yosi came home from school at 4 o'clock, he gathered the leftover of the Japanese soldiers' meals. He did not eat it himself, but gave it to his friends, the Aussies. He did it every day until the Allied Forces landed in Kupang on September 3rd, 1945.

176

On September 9 Yosi stopped an Allied jeep on patrol. He raised his three fingers. "Australians three," he shouted. Then he took the men to the well. He entered the well ahead of them and came back with three creatures, as white as paper. The eyes of the three men could not stand the sunlight, since they only had had the courage to show up by night.

The Allied troops took Yosi on board a ship and Yosi took them to his parents' house. The parents were of course dumbfounded, because they never knew about Yosi's secret.

Later news went around that Yosi was taken to Australia. The Australian government was so grateful that the boy was sent to school in the country.

C. GRAMMAR AND IDIOMS

Verbs with the suffix -i

a. Next to the *me-* .... *-kan* form (see lesson XX) we also have verbs with the suffix .... *-i*, like: *menduduki,* which means *to sit on* or figuratively *to occupy.* The suffix *-i* takes the place of the prepositions:to (*ke, kepada*), on, in, at (*di*), from (*dari*). The verb becomes now 'transitive', i.e.: it can have an object.

duduk – menduduki = to sit on, to occupy

Ayah *duduk* di kursi, or, Ayah *menduduki* kursi.

Tentara Jepang *menduduki* kota Kupang.

datang – mendatangi = to come to, to approach

Orang asing itu *datang* kepada kami, or, Orang asing itu *mendatangi* kami.

naik – menaiki = to climb up, to mount

Mahasiswa-mahasiswa itu *naik* ke atas Gunung Merbabu, or, Mahasiswa-mahasiswa itu *menaiki* Gunung Merbabu.

masuk – memasuki = to come into, to enter

Ketika Presiden *masuk* ke dalam ruang, semua orang berdiri, or, Ketika Presiden *memasuki* ruang, semua orang berdiri.

dekat – mendekati = to come near to, to approach

Pesawat udara itu telah *dekat* ke kota Paris,   or Pesawat udara itu telah *mendekati* kota Paris.

hadir – menghadiri = to be present at, to attend

Semua pegawai harus *hadir* pada rapat itu.
Semua pegawai harus *menghadiri* rapat itu.

Compare the usage of the *me-. . . . - kan* verbs with the *me-. . . -i* verbs.

menaikkan harga	–	to raise the price
menaikkan bendera	–	to raise the flag
menaiki tangga	–	to climb the stairs
menaiki gunung	–	to climb a mountain
mendatangkan artis-artis dari Jakarta	–	to let artists come from Jakarta
mendatangi orang-orang miskin	–	to come to (visit) poor people
memasukkan surat ke dalam tas	–	to put letters into a briefcase
memasuki kamar gelap	–	to enter a dark room.

Summarizing we can put it this way:

1) the suffix *-kan* is used, if the object is in motion.
2) the suffix *-i* is used, if the object stays in its place.

b. In the following phrase the suffix *-i* has another function. It takes the meaning of *to provide*:

tandatangan (signature) – *menandatangani* – to provide with a signature – to sign.

Menteri Luar Negeri telah *menandatangani* perjanjian perdagangan dengan pemerintah Italia.	–	The Foreign Minister has signed a trade agreement with the Italian government.

minyak (oil) – *meminyaki* – to oil

Roda-roda itu harus *diminyaki.*	–	The wheels must be oiled.

nama (name) – *menamai* – to name

Dia menamai anaknya yang paling kecil: Robby.	–	He named his youngest child: Robby.

c. Beside the verb *"tahu"* it is also very common to use the verb *"mengetahui"*, which has similar meaning. Next to *"punya"* we have *"mempunyai"* (to have).

By and large the use of the suffixes *-kan* and *-i* will remain a great handicap, even for advanced learners of the language.

D. VOCABULARY

tentara	–	army, military
menduduki (duduk)	–	to occupy
serdadu	–	soldier
menanggalkan (tanggal)	–	to take off
baju seragam	–	uniform
senjata	–	weapon
menyerah (serah)	–	to surrender
melarikan diri	–	to escape
bertempur	–	to fight
pasukan	–	troop
sanggup	–	to be able
kapal selam	–	submarine

179

ruang	—	hall, space
ditawan (tawan)	—	taken prisoner
Sekolah Dasar	—	Elementary School
bahaya	—	danger
berbahaya	—	dangerous
bersembunyi	—	to hide oneself
menyembunyikan (sembunyi)	—	to hide something
rahasia	—	secret
barat	—	west
timur	—	east
utara	—	north
selatan	—	south
jari	—	finger
kebetulan	—	incidentally
sumur	—	well
lobang	—	hole
kandang	—	stable, cage
kambing	—	goat
meriam	—	canon, gun
diam-diam	—	secretly
mengajak (ajak)	—	to invite to go
berhasil	—	to succeed
sisa-sisa	—	leftover, remnants
cahaya	—	light
mengumpulkan	—	to collect
Sekutu	—	Allied Forces
mendarat (darat)	—	to land
berteriak (-teriak)	—	to shout
makhluk	—	creature
berterima kasih	—	grateful
pemerintah	—	government
perjanjian	—	agreement

E. EXERCISES

1. Fill in the right objects:

naik	menaikkan . . .	menaiki . . .
turun	menurunkan . . .	menuruni . . .
datang	mendatangkan . . .	mendatangi . . .
masuk	memasukkan . . .	memasuki . . .
dekat	mendekatkan . . .	mendekati . . .
tempat	menempatkan . . .	menempati . . .

2. Fill in the suitable suffix *"-kan"* or *"-i"*:

1. Peter mengeluarkan . . . uang dari kantong celananya dan memasuk . . . nya ke dalam lemari.
2. Kami semua memasuk . . . gedung baru itu.
3. Tidak boleh mengeluar . . . kepala dari jendela bis.
4. Pemerintah akan mendiri . . . sekolah di kampung ini.
5. Tuan Suardi mau membicara . . . soal itu dengan istrinya.
6. Ardi meninggal . . . Jakarta, sesudah ibunya meninggal.
7. Sampai sekarang harga buku-buku belum diturun . . .
8. Saya tak berani mendekat . . . ayah, kalau ia marah.
9. Pak Gubernur akan menghadir . . . pesta perkawinan adik saya.
10. Pemerintah akan mendatang . . . mobil-mobil dari Jepang.
11. Tolong bangun . . . saya besok jam 5 pagi.
12. Tarno ditempat . . . di Denpasar.
13. Tunggu sebentar, saya akan menandatangan . . . surat ini.
14. Orang kaya itu mempunya . . . dua rumah besar di Bogor.
15. Polisi belum mengetahu . . . , siapa yang mencuri mesin tulis itu.

ANJING YANG SALAH

Pak Paro dan istrinya sayang sekali kepada anjingnya, si Hitam. Mereka ingin sekali pergi berlibur ke Bali. Tetapi soalnya, di mana mereka harus meninggalkan si Hitam? Tentu saja mereka tidak dapat membawa anjing itu.

Mereka mencari tempat penitipan binatang. Akhirnya ada sebuah tempat, di mana mereka bisa meninggalkan si Hitam dengan aman.

Sebelum berangkat, Pak Paro mengantarkan si Hitam ke tempat itu.

Sesudah dua minggu, mereka kembali pulang. Yang pertama dipikirkan Bu Paro, ialah mengambil si Hitam kembali. Tetapi karena hari sudah gelap mereka tidak bisa pergi. Lagi pula, mungkin tempat itu sudah tutup, karena mereka kembali dengan kereta api penghabisan, jam 10.

Besoknya, pagi sekali, Pak Paro segera mengambil taksi menjemput si Hitam. Senang sekali ia dapat membawa anjingnya kembali.

"Lihat," katanya kepada istrinya, ketika ia sampai di rumah. "Saya pikir si Hitam tidak senang tinggal di tempat itu. Di jalan ia terus saja menggonggong."

"Oh, engkau sudah pulang?" tanya istrinya. "Saya tidak mendengar mobil datang."

"Sudah, ini si Hitam," jawab Pak Paro.

Bu Paro segera keluar, lalu memperhatikan anjing itu. "Aduh, tentu saja ia menggonggong. Bukan karena ia tidak senang tinggal di tempat itu. Ini bukan si Hitam. Kamu telah mengambil anjing yang salah."

B. TRANSLATION

THE WRONG DOG

Mr. Paro and his wife were very fond of their dog, Hitam. They wanted to go on vacation. But the problem was, where should they leave the dog? Of course they could not take the dog with them.

They looked for some sort of hotel for pets. At last, there was a place where they could safely leave Hitam.

Before leaving Mr. Paro took Hitam to the place.

After two weeks they came back home. The first thing they thought of was bringing Hitam back. But as it was already dark, they could not go. Moreover the place might be closed, as they came by the last train at 10 o'clock.

The next day very early in the morning, Mr. Paro immediately took a taxi to collect Hitam. He was very happy, to be able to bring the dog home.

"Look," he said to his wife, when arriving home. "I think, Hitam did not enjoy his stay at that place. He barked all the away."

"Oh, are you already home?" asked his wife. "I did not hear the car coming." "Yes here is Hitam," answered Mr. Paro.

Mrs. Paro immediately came, and looked carefully at the dog. "Of course he was barking. Not because he had not enjoyed his stay at that place. This is not si Hitam. You have brought the wrong dog home."

C. GRAMMAR AND IDIOMS

Short answers.

Engkau sudah pulang? — Sudah.
Bisa saya datang besok? — Bisa.
Boleh kami masuk? — Boleh.
Tuan suka pisang goreng? — Suka.
Tuan Pedro ada di kantor? — Ada.
Apakah bahasa Indonesia sukar? — Sukar, Pak.

An answer in the *affirmative* is expressed by repeating the *emphasized* word.

Compare with the English:

Are you home already? — Yes, I am.
Can I come tomorrow? — Yes, (you can).
May we come in? — Yes, (you may).
Do you like fried bananas? — Yes, I do
Is Mr Pedro in the office? — Yes, he is.
Is the Indonesian language difficult? — Yes, it is,
                                                        Sir.

Positive: Itu kereta api ke Bandung? — Ya.
            Ibumu orang Jawa? — Ya
            Apa mobil Anda baru? — Ya.

184

Negative: *"tidak, bukan"* (see lesson VI, C no. 4)

                Hitam suka tinggal di sini? – Tidak.

                Pak Parto datang dengan kereta api pagi? – Tidak.

                Apa itu rumah Nyonya? – Bukan.

                Tuan orang Belanda? – Bukan.

Note: The word *ya* (*yes*) sounds very international. It is, however, *not* of foreign origin. It is originally an abbreviation of the word *saya* (I). In some circles, as a remnant from old times, it is very common to answer politely:

                Anda orang Sumatra? – Saya.

                Ibu kamu sakit? – Saya.

"si" Hitam: It is very common to use the word "si" before a name, especially, when a boy or a girl is meant, younger than yourself.

                    si Ali

                    si Rosna

                    si Dano

In the lesson, *si Hitam,* the dog is referred too.

soal – problem; *soal besar* – a big problem; *bukan soal* – no problem.

akhir – end; *akhir September* – the end of September.

segera – soon, immediately

Saya mesti segera kembali ke kantor.	I must immediately go back to the office.
Segera datang!	Come soon!

menjemput – to collect, to pick up, to meet

Sopir harus *menjemput* Nyonya di lapangan udara.	The driver has to meet the lady at the airport.
Jemput saya ke super-market.	Pick me up at the super-market.

Loanwords

The Indonesian language has in the course of time adopted a lot of foreign words. There are words of Spanish, Portuguese, Arabic, Sanskrit and Dutch origin. Here are some examples:

Spanish:	bangku	—	bench
	sekolah	—	school
	nyonya	—	lady
	lemari	—	cupboard
Portuguese:	kemeja	—	shirt
	bendera	—	flag
	gereja	—	church
	keju	—	cheese
	roda	—	wheel
Arabic:	alamat	—	address
	kabar	—	news
	rakyat	—	people
	umur	—	age
	sehat	—	healthy
	waktu	—	time
Sanskrit:	kerja	—	work
	warna	—	colour
	cerita	—	story
	kepala	—	head
Dutch:	tas	—	bag
	gorden	—	curtain
	apotek	—	chemist's
	persis	—	precise
	kulkas	—	refrigerator
	parkir	—	to park

With the tremendous development in the field of science, technology and politics a great many international words have enriched the Indonesian vocabulary. The spelling is adjusted to the Indonesian tongue. Notice the examples mentioned below:

politik	– politics	kultur	– culture
produksi	– production	departemen	– department
reparasi	– repair	inisiatif	– initiative
akomodasi	– accomodation	praktis	– practical
polusi	– pollution	fasilitas	– facility
investasi	– investment	seleksi	– selection
problem	– problem	konferensi	– conference

Some words, especially verbs, have become real Indonesian 'citizens': they are derived like pure Indonesian words. Notice the following:

memproduksi	–	to produce
mensabotir	–	to sabotage
mengekspor	–	to export
diimpor	–	imported
diblokir	–	blocked
ditransfer	–	transferred
perindustrian	–	industries
perekonomian	–	economy
pengecekan	–	checking
didramatisir	–	dramatized
kelistrikan	–	electricity
disensor	–	censored

D. VOCABULARY

sayang kepada	–	to be fond of
soal	–	problem
binatang	–	animal, pet
akhir	–	end
mengantarkan	–	to deliver
penghabisan	–	last
menjemput	–	to collect, to pick up

187

senang	–	happy
menggonggong (gonggong)	–	to bark
memperhatikan	–	to watch carefully

E. EXERCISES

1. Give short answers in the *positive* to these questions:
   1. Apa sopir kita sudah datang?
   2. Ada nyonya di rumah?
   3. Bisakah tukang listrik datang besok sore?
   4. Ibumu suka berenang?
   5. Apa ini rumah Tuan Mardi?
   6. Apa Tilly masih tidur?
   7. Boleh anak-anak melihat film itu?
   8. Tuan perlu mobil hari Minggu?
   9. Apa rumahmu di belakang kantor pos?
   10. Apa Tuan Rusdi ada telepon di rumah?
   11. Jauhkah kantor Tuan dari hotel?
   12. Apa pesawat terbang sudah berangkat?
   13. Inikah kantor Imigrasi?
   14. Bersihkah kamar-kamar di hotel itu?

2. *Translate*
   1. Why were you late yesterday? Because my car was out of order.
   2. I don't know, at what time the plane will be leaving.
   3. To whom did Anne write a letter?
   4. How many people live in the old house?
   5. What did you buy in the market yesterday?
   6. Who is he talking to?
   7. What is your house number?
   8. When did you arrive in Jakarta?
   9. What is your driver's name?

188

10. What year is it now?
11. What is the date now?
12. How is your car?
13. How many children do the Thompsons have?
14. How many hours did he sleep last night?
15. What time does your father come home?

GLOSSARY
Indonesian — English

A

abad	:	century, age
abang	:	elder brother
abu	:	ash
acara	:	programme
ada	:	to be, to exist, to be present, there is, there are, to have, to possess
adat -(istia- dat)	:	customs, tradition
adik	:	younger brother /sister
agama	:	religion
agar	:	in order, to that
ahli	:	expert, specialist
air	:	water
ajak, meng—	:	to invite
ajar; bel—	:	to learn, to study
meng—	:	to teach;
pel—	:	student;
pel—an	:	lesson
akan	:	shall, will
akhir	:	end, finish
ter—	:	final
akibat	:	result, consequence
aku	:	I, me
alam	:	nature
alamat	:	address
alangkah	:	what, how!
alasan	:	reason
alat	:	instrument, utensil
aman	:	safe, secure
amat	:	very

ambil, meng—	:	to take (away)
anak	:	child
anda	:	you
aneh	:	strange, odd
anggota	:	member
anggrek	:	orchid
anggur	:	wine
angin	:	wind, air
angkat	:	to lift (up), to raise
ber—	:	to leave, to depart
angkatan	:	generation, guard
—darat	:	army
—laut	:	navy
—udara	:	air force
angkut	:	to carry, to transport
—an	:	transport
anjing	:	dog
antara	:	between, among
apa	:	what
—lagi	:	furthermore
—kabar?	:	how are you?
api	:	fire
apotek	:	chemist's shop, dispensary
arah	:	direction
arloji	:	watch
arti	:	meaning
asam	:	acid, sour
asap	:	smoke
asin	:	salty
asing	:	foreign, strange

190

orang—	:	foreigner	bapak	:	father, Sir, Mr
asli	:	original, genuine	barang	:	goods, thing
asrama	:	dormitory, board inghouse	—barang	:	luggage
			barangkali	:	perhaps, maybe
asyik	:	busy	barat	:	west
atap	:	roof	baru	:	new(ly)
atas	:	on, up, above, over	basah	:	wet
			batas	:	border, boundary
atau	:	or			
awan	:	cloud	batu	:	stone
			batuk	:	to cough
			bawa		

B

			mem—	:	to carry, to bring, to take (with)
babi	:	pig, pork			
babu	:	maid	benar	:	true, right
baca, mem—	:	to read	bendera	:	flag
badan	:	body	bensin	:	petrol
bagaimana	:	how?	berapa	:	how much, how many?
bagus	:	fine, pretty, nice			
bahan	:	material	beras	:	uncooked rice
bahasa	:	language	berat	:	heavy
bahaya	:	danger	beri, mem—	:	to give
ber—	:	dangerous	bersih	:	clean
bahwa	:	. . . that	mem—		
baik	:	good, fine, OK	kan	:	to clean
baju	:	clothing, dress	besar	:	big, large, great
balas, mem—	:	to reply	besi	:	iron
ban	:	tyre	besok	:	tomorrow
Bang	:	brother (way of addressing)	betul	:	correct, right
			biasa	:	common, usual, normal
bangga	:	proud			
bangku	:	bench	—nya	:	usually
bangsa	;	nation, race	biaya	:	costs, expense
bangun	:	to wake (get) up	bibi	:	aunt
banjir	:	flood	bicara	:	to speak, to talk
bank	:	bank	pem—	:	speaker
bantal	:	pillow, cushion	bilang	:	to tell, to say
bantu,			binatang	:	animal, pet
mem—	:	to help, assist	bintang	:	star
pem—	:	servant	bioskop	:	cinema, movie
banyak	:	much, many			

191

bir	:	beer
biru	:	blue
bis	:	bus
bisa	:	can, to be able
bocor	:	leak
bodoh	:	stupid, silly
bohong	:	to lie, to tell a lie
bola	:	ball
boleh	:	may
botol	:	bottle
buah	:	fruit, piece
buang	:	to throw away
mem—		
buka	:	to open, to take
mem—		off
bukan	:	no, not
bukit	:	hill
buku	:	book
bulan	:	month, moon
bumi	:	earth, globe
Bung	:	brother, friend
bunga	:	flower
bungkus	:	to wrap, to pack
mem—		
buru-buru	:	hurriedly
buruk	:	bad, ugly
burung	:	bird
busi	:	spark plug

C

campur,	:	to mix
men—		
candi	:	Hindu temple
cangkir	:	cup
cantik	:	lovely
cap	:	stamp, seal, mark
cape(k)	:	tired
cara	:	way, manner
cari, *men—*	:	to seek, to look
		for

cat	:	paint
celaka	:	unfortunate
ke—an	:	accident
celana	:	trousers
cepat	:	fast, quick
cerita	:	story, tale
cetak	:	to print
men—		
Cina	:	China, Chinese
cincin	:	ring
cinta	:	love, affection
cium, *men—*	:	to smell, to kiss
coba, *men—*	:	to try, to taste
coklat	:	chocolate, brown
contoh	:	sample, example
cuaca	:	weather
cuci, *men—*	:	to wash
cukup	:	enough
cuma	:	only, merely
curi, *men—*	:	to steal
cuti	:	furlough, leave

D

dada	:	chest, breast
daerah	:	district, region
daftar	:	list, register
dagang	:	trade, commerce
daging	:	meat, flesh
dahulu (du-	:	formerly, before,
lu)		previously
dalam	:	inside, deep
dan	:	and
danau	:	lake
dapat	:	can, to be able
men—	:	to get, to obtain
dapur	:	kitchen
darah	:	blood
ber—	:	to bleed
darat	:	land, shore
dari	:	from, of

192

−pada	: than	enam	: six
dasar	: basis	engkau	: you
dasi	: necktie	enteng	: light, not heavy
datang	: to come	Eropa	: Europe
daun	: leaf	erti, meng−	: to understand
dekat	: near, close	es	: ice
delapan	: eight	esok	: tomorrow
demam	: fever		
dengan	: with	**F**	
dengar,	: to hear	fasilitas	: facility
men−			
men−kan	: to listen	**G**	
depan	: front		
desa	: village	gadis	: (young) girl
di	: on, at, in	gado-gado	: vegetable salad
dia	: he, she		with peanut
diam	: quiet, silent		sauce
dingin	: cold	gagal	: to fail
dokter	: doctor	gajah	: elephant
dompet	: purse, wallet	gaji	: salary, wages
dua	: two	gambar	: drawing, picture
duduk	: to sit (down)	gamelan	: Javanese musical
dulu	: before, formerly,		instrument
	first	gampang	: easy
dunia	: world	ganggu,	: to disturb
duta	: envoy	meng−	
−besar	: ambassador	ganti,	: to change, to re
ke−an	: embassy	meng−	: place, to com-
			pensate
E		gantung,	: to hang (up)
		meng−kan	
ekor	: tail, auxiliary nu-	ter−	: hanging (down)
	meral for ani-	garam	: salt
	mals	gedung	: building
emas	: gold	gonggong	: to bark
ember	: pail, bucket	meng-	
embun	: dew	gudang	: ware (store) house
empat	: four	gula	: sugar
enak	: tasty, delicious,	guna	: use
	pleasant, de-	meng−kan	: to make use;
	lightful	ber−	: useful
		gunting,	: scissors

193

−an	:	cut, clipping
meng−	:	to cut with scissors
gunung	:	mountain
guru	:	teacher

H

habis	:	finished, nothing left
hadiah	:	gift, present
hadir	:	to be present
hadirin	:	all present, audience
haji	:	Mecca-pilgrim
harus	:	must, have to
hati-hati	:	cautious
henti, ber−	:	to stop
heran	:	amazed, surprised
hidung	:	nose
hidup	:	to be alive
hijau	:	green
hilang	:	gone, disappeared, lost
hitam	:	black
hitung, meng−	:	to calculate, to count
hormat	:	honour, respect, polite;
yang ter−	:	respectful, honourable
hujan	:	rain, to rain
huruf	:	letter
hutan	:	forest, wood

I

ia	:	he, she
ialah	:	to be, that is
ibu	:	mother, way of addressing a lady

ijazah	:	diploma, certificate
ikan	:	fish
ikat, meng−	:	to go along with, to fasten
iklan	:	advertisement
ikut	:	to go along with, to join, to follow
ilmu	:	science, knowledge
inap, meng−	:	to stay overnight
indah	:	beautiful, magnificent
ingat	:	to remember
Ingg(e)ris	:	England, British
ingin	:	to desire, to wish, would like
ini	:	this
intan	:	diamond
isi	:	contents, volume
meng−	:	to fill (up)
ber−	:	to contain
istana	:	palace
istirahat	:	rest, pause, interval
ber−	:	to take a rest
istri	:	wife
itik	:	duck
itu	:	that
izin	:	permit, licence

J

jadi, men−	:	to become
jaga, men−	:	to guard, to keep, to watch
pen−	:	watchman, guard
jagung	:	maize, corn
jahit	:	to sew
men−		
tukang−	:	tailor
jalan	:	way, street

ber–(kaki)	:	to walk
jalur	:	strip of land, lane
jam	:	clock, watch, hour
janji	:	appointment
ber–	:	to promise
per–an	:	agreement
jari	:	finger, toe, digit
jarum	:	needle, hour-hand
jas	:	coat, jacket
jatuh	:	to fall, to crash
men–kan	:	to drop
jauh	:	far (away)
Jawa	:	Java
jawab, men–	:	to answer
jaya	:	victorious
jelek	:	awful, bad
jembatan	:	bridge
jemur	:	to dry in the sun
men–		
jemput	:	to pick up, to collect
jendela	:	window
jenderal	:	general (army)
jenis	:	type, kind, sort
Jepang	:	Japan
Jerman	:	German
jeruk	:	orange, lemon, citrus
jika(-lau)	:	if, when
jiwa	:	life, soul, spirit
jual, men–	:	to sell
juara	:	champion
juga	:	also, too
Juli	:	July
Jumat	:	Friday
jumlah	:	sum, amount
jumpa	:	to meet (a person)

K

kabar	:	news
kaca	:	glass, mirror
kacamata	:	eyeglasses
kacang	:	pea, bean
kadang-kadang	:	sometimes
kagum	:	fascinated, astonished
meng–i	:	to admire
kain	:	cloth, material
kakak	:	elder brother/sister
kakek	:	grandfather, old man
kaki	:	foot, leg
kalah	:	defeated
kalau	:	when, if
kaleng	:	tin, can
kali	:	time; river
kalimat	:	sentence
kamar	:	room
kambing	:	goat
kami	:	we, us
Kamis	:	Thursday
kampung	:	village
kamu	:	you
kamus	:	dictionary
kanan	:	right
kandang	:	kennel, stable, cage
kantong	:	pocket, bag
kantor	:	office
kapal	:	ship, vessel
kapal terbang	:	aeroplane
kapan	:	when?
karcis	:	ticket
karena	:	because
oleh–itu	:	therefore

195

karet	:	rubber, elastic		kembali	:	to return; to come back
kartu	:	card		kembang	:	flower
karya	:	work		kemeja	:	shirt
kas	:	pay-desk, cash (office)		kemudian	:	then, afterwards
kasar	:	rough, rude		kena	:	hit, struck (by)
kasi	:	to give		kena¹	:	to know, to be acquainted (with)
kasih	:	love, affection				
kasur	:	mattress		—an	:	acquaintance
kata	:	word		kenang-ke-	:	souvenir, memo-
—nya	:	he said		nangan		ries
ber—	:	to say		kenapa	:	why
kau	:	you		kendaraan	:	vehicle
kaus	:	sock, stocking		kentang	:	potato
kawan	:	friend, compan- ion		kepala	:	head
				kera	:	monkey
kawat	:	wire		keras	:	hard, loud
kawin	:	to marry, to get married		kereta	:	carriage
				—api	:	train
kaya	:	rich		kering	:	dry
kayu	:	wood, timber		kerja	:	work
ke	:	to, towards		pe—an	:	occupation, pro- fession
kebun	:	garden				
—binatang	:	zoological gar- den		kertas	:	paper
				khusus	:	special, particu- lar
kecil	:	little, small				
kecuali	:	except		kilat	:	lightning
kelapa	:	coconut		kereta api—	:	express train
kelas	:	class, grade (in school)		kira	:	to think, to sup- pose
				kira-kira	:	about, approxi- mately
keliling	;	around				
keluar	:	to go out		koki	:	cook
keluarga	:	family		kolam	:	pond, pool
kemah	:	tent		kondektur	:	(train-bus) con- ductor
ber—	:	to camp				
kemari	:	come here, this way		kopi	:	coffee
				kopor	:	trunk, suitcase
kemarin	:	yesterday		koran	:	newspaper
—dulu	:	the day before yesterday				

196

korek-api	:	matches
kosong	:	empty, vacant
kota	:	town, city
kotak	:	box
kotor	:	dirty
ku (aku)	:	I, me
kuat	:	strong, sturdy
kucing	:	cat
kuda	:	horse
kue	:	cake, cookie, bis-cuit
kuil	:	temple, shrine
kuitansi	:	receipt
kuliah	:	lecture
kulit	:	skin, hide, lea-ther
kumis	:	moustache
kunci	:	key, lock
mengunci	:	to lock
kuning	:	yellow
kuningan	:	brass
kuno	:	old-fashioned, antique
kurang	:	less, too little
kursi	:	chair
kursus	:	course
kurus	:	thin

L

lagi	:	more, again
lagu	:	song
lahir	:	born
lain	:	other, else
laki-laki	:	male, man
lalu	:	past, gone, then, next
lalu-lintas	:	traffic
lama	:	long, old
lambat	:	slow
lampu	:	lamp
lancar	:	fluent, smooth

langganan	:	customer
langit	:	sky
langsung	:	straight, direct
lanjut	:	to continue
me kan		
lantai	:	floor
lapar	:	hungry
lapor, *me*	:	to report
laporkan		
an	:	report
larang	:	to forbid
di	:	forbidden
lawan	:	opponent
layan,	:	to wait on, to ser-
me-i		ve
pe-	:	waiter
layar, *ber—*	:	to sail
lebar	:	broad, wide
Lebaran	:	the day after the fasting month (Ramadhan)
lebih	:	more
leher	:	neck
lekas	:	quick, fast
lemah	:	weak, feeble
lemari	:	cupboard
—es	:	refrigerator
lempar	:	to throw
lengan	:	arm, sleeve
lepas	:	free, loose
letak	:	site, location
me—kan	:	to place, to put
lewat	:	past
libur,	:	to go on vaca-
ber—	:	tion
—an	:	vacation
licin	:	smooth, slippery
lidah	:	tongue
lihat	:	to see, to look (at)

197

ke—an	:	to bee seen, to seem, to look
lima	:	five
listrik	:	electricity
lobang	:	hole
lompat	:	to leap, to jump
me—		
luar	:	out, outside
luka	:	wound, wounded, injured
lukis	:	to paint, to draw
—an	:	painting
lumpur	:	mud
lunak	:	soft
lupa	:	to forget
lurus	:	straight
lusa	:	the day after tomorrow

M

maaf	:	pardon, excuse
mabuk	:	drunk
macam	:	sort, kind
macet	:	jammed
mahal	:	expensive
Mei	:	May
main, *ber—*	:	to play
—an		
—an	:	toy
per—an	:	game
majalah	:	magazine, periodical
maju	:	to advance
maka	:	then, therefore
makan	:	to eat
—an	:	food, meal
makin	:	more
malam	:	evening, night
malas	:	lazy
maling	:	thief

malu	:	ashamed, shy
mandi	:	to bath
mangkok	:	bowl, cup
manis	:	sweet, nice
manusia	:	human being
marah	:	angry
Maret	:	March
mari	:	here, let us . . . .
mas	:	gold
Mas	:	way of addressing a man
masa	:	time, period
masak	:	cooket, ripe
me—	:	to cook
—an	:	cooking
masalah	:	problem
masih	:	still
masing-masing	:	each
masuk	:	to come in, enter
meriam	:	canon, gun
mesin	:	machine
mesjid	:	mosque
meskipun	:	although
mimpi	:	dream
minggu	:	week
Minggu	:	Sunday
minta	:	to ask (for)
minum	:	to drink
—an	:	a drink
minyak	:	oil
misal	:	example
—nya	:	for example
miskin	:	poor
mobil	:	(motor) car
modal	:	capital
mogok	:	to go on strike, to refuse to act, to break down

198

masyarakat	:	community	mutu	:	quality
masyhur	:	famous			
ter					

N

mata	:	eye	nah!	:	well!
mata-mata	:	spy	naik	:	to go up, to rise,
matahari	:	sun			to climb
mati	:	dead, out	nakal	:	naughty
me—kan	:	to put out, to	nama	:	name
		switch off	nanti	:	later, afterwards
mau	:	to want, to wish	*—malam*	:	tonight
meja	:	table	*me—*	:	to wait
menang	:	to win	nasehat	:	advice
mengapa	:	why?	nasi	:	cooked rice
mengerti	:	to understand	Natal,	:	Christmas day
menit	:	minute	*hari—*		
mentega	:	butter	negara	:	state
menteri	:	minister	negeri	:	country
merah	:	red	nenas	:	pineapple
merdeka	:	free, independ-	nenek	:	grandmother,
		ent			old woman
merek	:	brand, trade-	nol	:	zero
		mark	nomor	:	number
montir	:	mechanic	nona	:	Miss, unmarried
monyet	:	monkey			woman
motor	:	motor cycle	nonton	:	to watch (a show
sepeda—			*me—*	:	a film)
muda	:	young	nusantara	:	archipelago
mudah	:	easy	nyala,	:	flame
muka	:	face	*me—*	:	to flame
di—	:	in front	nyamuk	:	mosquito
mula	:	beginning	nyanyi,	:	to sing
—i	:	to begin	*me—*		
mulut	:	mouth	nyonya	:	lady, madam
mundur	:	to go backwards,			
		to retreat, to			
		decline			

O

mungkin	:	possible	obat	:	medicine
murah	:	cheap	Oktober	:	October
murid	:	pupil	olahraga	:	sports, gymnas-
musik	:	music			tics
musim	:	monsoon, season	oleh	:	by, (passive voi-
					ce)

199

orang	:	man, person
otak	:	brain(s)

P

pab(e)rik	:	factory
pacar	:	darling, lover
pada	:	at, by, in, on
padi	:	rice [unhusked]
pagar	:	fence
pagi	:	morning
pahit	:	bitter
Pak	:	abbr.: of Bapak (father)
pakai, *memakai*	:	to use, to wear
paksa *memaksa*	:	to force
paling	:	most
palsu	:	false, artificial
paman	:	uncle
panas	:	hot
panci	:	pan
pandai	:	clever
pandang *memandang*	:	to watch
panggil, *memanggil*	:	to call, to hail
panjang	:	long
pantai	:	beach, coast
pariwisata	:	tourism
parkir	:	to park
pasang	:	pair, couple
memasang	:	to install, to switch on
pasar	:	market
pasir	:	sand
pasti	:	certain, definite
patah	:	broken
patung	:	statue
payung	:	umbrella

pecah	:	broken in pieces
pedas	:	hot, spicy
pegang, *memegang*	:	to hold, to grasp
pegawai	:	staff, employee
pekan	:	week
pekarangan	:	yard, grounds
pelabuhan	:	port, harbour
pelajar	:	student
pelan-pelan	:	slow(ly)
pelayan	:	waiter, servant
pelihara, *memelihara*	:	to take care of
pena	:	pen
pencuri	:	thief
pendek	:	short
penduduk	:	resident, population
penjahit	:	tailor
pensil	:	pencil
penting	:	important, urgent
penuh	:	full
penumpang	:	passenger
perak	:	silver
Perancis	:	France, French
perang	:	war
perangko	:	postage, stamp
percaya	:	to believe, to trust
perempuan	:	woman, female
pergi	:	to go
perhatian	:	attention
periksa, *memeriksa*	:	to check, to examine
perintah	:	order, instruction, command
memerintah	:	to govern
perlu	:	to need, necessary

permisi	:	permission	pompa	:	pump
pers	:	press	pondok	:	cottage
persegi	:	square	pormulir	:	form
persen	:	tip, present, gift	pos	:	post, mail
persis	:	precisely	potong,	:	to cut
pertama	:	first	memotong		
pertunjukan	:	show, performance	presiden	:	president
			pria	;	man, male
perut	:	stomach	puas	:	satisfied
perwira	:	officer	puasa	:	to fast
pesan	:	message	pukul,	:	to beat, to hit
memesan	:	to order (goods)	memukul		
pesawat	:	apparatus, instrument	—berapa?		What time?
			pula	:	also
pesawat-udara	:	aeroplane	pulang	:	to go (come) home
pesta	:	party, feast	pulau	:	island
peta	:	map	puluh, se—	:	ten
petang	:	afternoon	pun	:	even, yet, also
pikir	:	to think	puncak	:	top, summit
—an	:	thought, opinion	punya	:	to have, to possess
pilih,	:	to chose, elect,			
memilih		select	puri	:	temple, shrine
pindah	:	to move to another (house, place)	pusat	:	centre
			putar,	:	to turn, to wind
			memutar		
pinjam,	:	to borrow,	putra	:	son, prince
meminjam			putri	:	daughter, princess
meminjamkan	:	to lend			
pinggir	:	side, edge	putih	:	white
pintar	:	smart, clever, bright	putus	:	broken (off), to snap
pintu	:	door			**Q**
pipa	:	pipe			
pipi	:	cheek			**R**
piring	:	plate, dish			
pisang	:	banana	Rabu	:	Wednesday
pisau	:	knife	rajin	:	diligent, industrious
pohon	:	tree			
polisi	:	police	rak	:	rack, shelf

201

rakyat	:	people
Ramadhan	:	the fasting month
ramai	:	crowded, busy (street)
rambut	:	hair
rapat	:	meeting, conference
rasa	:	feeling
me–	:	to feel
rata	:	flat, level
rata-rata	:	average
ratu	:	queen
ratus	:	hundred
rawat	:	to nurse
raya	:	great, principal
jalan–	:	main road
me–kan	:	to celebrate
rebus	:	to boil
telur–	:	boiled eggs
remaja	:	young, adolescent
renang,	:	to swim
be–		
kolam–		
kolam–	:	swimming pool
rencana	:	plan, schedule
rendah	:	low
resep	:	recipe, prescription
resepsi	:	reception
resmi	:	official, formal
roda	:	wheel
rokok	:	cigarette
me–	:	to smoke
rombongan	:	group, party
rotan	:	rattan
roti	:	bread
ruang	:	space
rumah	:	house
rumput	:	grass

rupa	:	appearance
me–kan	:	to represent, to form
rupiah	:	Indonesian currency, guilder
rusak	:	damaged, out of order, broken

S

Sabtu	:	Saturday
saja	:	just, only
sakit	:	sick, ill, painful
salah	:	wrong, fault, mistaken
salak,	:	to bark
menyalak	:	
salam	:	peace, greeting
salin	:	to copy
menyalin		
sambil	:	while
sambung	:	to connect
salah–	:	wrong number (connection)
sampah	:	garbage
sampai	:	till, as far as, to arrive
sana	:	there
di–	:	over there
ke–	:	(to) there
sapu	:	broom
menyapu	:	to sweep
saudara	:	brother, sister, friend, comrade
ber–	:	to be brothers and sisters
sawah	:	(wet) ricefield
saya	:	I, me
sayang	:	pity, sorry

–kepada	: to love	semua	: all
sayur	: vegetable	senam	: gymnastics
se . . . (satu)	: a, an	senang	: comfortable, to feel well
sebab	: reason, cause		
sebelah	: side, next to, beside	sendiri	: self, own, alone
		sendok	: spoon
sebelum	: before	seni	: art
sedang	: whilst, in the process of	_ke–an_	: arts
		Senin	: Monday
sedih	: sad	senjata	: weapon, arms
sedikit	: few, little, some	separoh	: half
segala	: all	sepatu	: shoe
segar	: fresh	sepeda	: bicycle
segera	: soon, immediately	_–motor_	: motorbike
		seperti	: such as, like
sehat	: healthy	seragam	: uniform
_ke–an_	: health	serah,	: to surrender
sejak	: since	_menyerah_	
sejarah	: history	serang	: to attack
sejuk	: cool	_menyerang_	
sekali	: once, quite, very	serdadu	: soldier
		sering	: often
sekalian	: all	serupa	: similar
sekarang	: now, at present	sesudah	: after
sekolah	: school	s(e)tasiun	: station
Sekutu	: the Allied forces	seterika	: (flat) iron
selalu	: always	setuju	: agreed
selama	: as long as, during	sewa,	: to hire, to rent
selamat	: safe(ly), happiness, prosperity	_menyewa_	
		sial	: unlucky
		siang	: day, daylight
Selasa	: Tuesday	siap	: ready
selatan	: south	siapa	: who?
selesai	: finished, done, completed	sibuk	: busy
		sikat, _me–_	: to brush
selimut	: blanket	_nyikat_	
seluruh	: whole, entire	silakan	: please
sembahyang	: prayer, to pray	simpan,	: to put away, to
sempit	: narrow	_menyimpan_	: deposit, to save
sempurna	: perfect, complete	singgah	: to stop (in)
		singkat	: short, brief

sini, *di–*,		
Ke–	:	here
siram	:	to sprinkle
sisa	:	rest, remainder
sisir	:	comb
menyisir	:	to comb
situ, *di–*,		
ke–	:	there
soal	:	problem
sopan	:	polite
sopir	:	driver
soto	:	meat-soup
suami	:	husband
suara	:	voice, sound
suatu	:	a certain
sudah	:	already
suka	:	to like
sukar	:	difficult, hard
sulit	:	complicated
sumber	:	source
sumur	:	well
sungai	:	river
supaya	:	in order that, so that
surat	:	letter
surat kabar	:	newspaper
susah	:	difficult, troublesome
susu	:	milk
sutera	:	silk

T

tadi	:	just now
tahan	:	to stand, to last
tahu	:	to know
tahun	:	year
tàk	:	short for *tidak* not
taksi	:	taxi
takut	:	afraid

tali	:	rope, string
taman	:	park
tambah,	:	plus, to add
menambah		
tampak	:	visible
tamu	:	guest, visitor
tanam,	:	to plant
menanam		
tanda	:	sign, signal, mark
tanda tangan	:	signature
tangan	:	hand
tangga	:	stairs, ladder
tanggal	:	date
tangis,	:	to cry, to weep
menangis		
tangkap,	:	to catch, to seize
menangkap		
tani	:	farmer, peasant
tanjung	:	cape
tanpa	:	without
tanya,	:	to ask
ber–		
tapi	:	but
tari, *menari*	:	to dance
–an	:	a dance
taruh (taroh)	:	to put
tas	:	bag, briefcase
tawan,	:	to capture
menawan		
–an	:	prisoner of war
tebal	:	thick
teduh	:	shady
teh	:	tea
telah	:	already
telepon	:	telephone
menelepon	:	to phone
telinga	:	ear
teluk	:	bay
telur	:	egg
teman	:	friend

204

tempat	:	place
tempat tidur	:	bed
tamu, ber–	:	to meet, to come across
tenaga	:	energy, power, manpower
tenang	:	stil, quiet, calm
tengah	:	middle
se–	:	half
tenggara	:	south-east
tentang	:	about, concerning
tentara	:	army, military, soldier
tentu	:	sure
–saja	:	of course
tepat	:	exactly
tepi	:	side, edge
terang	:	clear, bright
terbang	:	to fly
kapal–	:	aeroplane
terbit	:	to appear, to rise (sun)
teriak, berteriak	:	to shout, to yell
terima, menerima	:	to receive
–kan	:	thank you
terlalu	:	too
ternak	:	cattle
tertawa	:	to laugh
terus	:	straight away, directly, to keep on
tetangga	:	neighbour
tetap	:	constantly, permanent
tetapi	:	but
tiada	:	not, none
tiap, ––, se–	:	every

tiba	:	to arrive
tiba-tiba	:	suddenly
tidak	:	no, not
tidur	:	to sleep
tiga	:	three
tikar	:	mat
tikus	:	rat, mouse
timur	:	east
tinggal	:	to stay, to live, to remain
tinggi	:	tall, high
tingkat	:	level, floor, storey
tipu, menipu	:	to cheat
toko	:	shop
tolong, menolong	:	to help
tonton, menonton	:	to watch (TV, film, play)
tuan	:	mister, master, Sir
tugas	:	task, job
Tuhan	:	God
tujuh	:	seven
tukang	:	workman
–sayur	:	vegetableman
–daging	:	butcher
–rokok	:	cigarettseller
–koran	:	newspaper boy
tukar, menukar	:	to (ex)change
tulang	:	bone
tulis, menulis	:	to write
mesin–	:	typewriter
tunggu, menunggu	:	to wait
tunjuk, menunjuk	:	to point (at)
turis	:	tourist

...un	:	to go down, to get off (car, train), to fall (rain)
turut	:	to go (along) with
tutup	:	to shut, to close
menutup		
—meja	:	to set the table

U

uang	:	money
uap	:	damp, vapour, steam
ubah	:	to change
udang	:	shrimp
udara	:	air, weather
ukur,	:	to measure
meng—		
—an	:	size, measurement
ulang	:	to repeat
ular	:	snake
umum	:	general, public
umur	:	age
undang,	:	to invite
meng—		
—an	:	invitation
undang-undang	:	law, bill
untuk	:	for
untung	:	luck, profit
ungsi,	:	to evacuate
meng—		
upacara	:	ceremony
urus,	:	to arrange
meng—		to settle, to organize
—an	:	business, affair

usah		
tak—	:	need not
usaha	:	effort, trade
per—an	:	business, company

V

W

wajib	:	obliged, obligatory
wakil	:	representative, deputy
waktu	:	time
wangi	:	sweet-smelling
wanita	:	woman, female
warna	:	colour
warta	:	news
warung	:	stall, small shop
wisma	:	house, building
wisatawan	:	tourist

X

Y

ya	:	yes
y.a.d.	:	coming, next
(yang akan datang)		
yaitu	:	that is, i.e.
yang	:	which, who, that
—mana?	:	which?
—lalu	:	last
—terhormat		(Yth): the honourable

Z

zaman	:	era, period